KB187555

에스페란토 초급 사용자를 위한

치나인의 일상을 다룬 짧고 흥미로운 문학 작품

당신에게 꽃다발을

BUKEDO AL VI

펑 지짜이 외 23명 지음

오태영(Mateno) 옮김

당신에게 꽃다발을

인　쇄 : 2024년 2월 1일 초판 1쇄

발　행 : 2024년 2월 8일 초판 1쇄

지은이 : 펭 지짜이 외 23명

옮긴이 : 오태영(Mateno)

펴낸이 : 오태영(Mateno)

출판사 : 진달래

신고 번호 : 제25100-2020-000085호

신고 일자 : 2020.10.29

주　소 : 서울시 구로구 부일로 985, 101호

전　화 : 02-2688-1561

팩　스 : 0504-200-1561

이메일 : 5morning@naver.com

인쇄소 : TECH D & P(마포구)

값 : 12,000원

ISBN : 979-11-93760-02-4(03890)

에스페란토 초급 사용자를 위한

치나인의 일상을 다룬 짧고 흥미로운 문학 작품

당신에게 꽃다발을

BUKEDO AL VI

펑 지짜이 외 23명 지음

오태영(Mateno) 옮김

진달래 출판사

Bukedo al vi

Mikronoveloj

ĈINA ESPERANTO-ELDONEJO PEKINO 1984
Unua eldono

Eldonita de la Ĉina Esperanto-Eldonejo P.O. Kesto 77,
Beijing, Ĉinio
Distribuata de la Internacia Libro-Komerca Kompanio
de (GUOJI SHUDIAN), Esperanta Sekcio,
P.O. Kesto 313, Beijing, Ĉinio

Presita en la Ĉina Popola Respubliko

ENHAVO 차례

ANTAŬPAROLO

En la lastaj jaroj, en la literatura ĝardeno de Ĉinio disvolviĝas tufo da malgrandaj floroj delikate sed freŝige aromantaj kaj estas ŝatata de pli kaj pli da homoj. Oni nomas ilin "noveletoj" aŭ "mikronoveloj".

La mikronovelo fratas al la novelo, sed estas pli konciza kaj mallonga. Pro sia kurteco la mikronovelo ofte spegulas nur transversan sekcaĵon de la reala vivo kaj havas nekompletan strukturon. Tamen ĝi reflektas la vivon, same kiel guto da akvo reflektas la radiojn de la suno.

La nuna kompilaĵo el eltondaĵoj de ĉinaj ĵurnaloj raportas pri la ĉiutaga vivo de ordinaraj ĉinoj, ekzemple pri la interrilato de najbaroj, familia vivo, amikeco, amafero k.a. De diversaj flankoj ĝi vidigas la intereson, moralon kaj spiritan fizionomion de la nunaj ĉinoj.

Niaj esperantistaj amikoj ofte skribas al ni, ke ni aperigu pli da mallongaj kaj interesaj literaturaĵoj pri la ĉiutaga vivo de ĉinoj. Espereble ilian scivolon iagrade kontentigos nia kompilaĵo, kiun ni prezentas al niaj amikoj kiel bukedon da malgrandaj floroj.

La Red.

머리말

최근 몇 년 동안 치나[1] 문학계에는 은은하면서도 상큼한 향기를 지닌 작은 꽃다발이 점점 더 많은 사람의 사랑을 받고 있습니다. 이를 "작은 소설" 또는 "미세 소설" 이라고 부릅니다.

미세 소설은 단편 소설의 형제이지만 더 간결하고 짧습니다. 미세 소설은 그 간결성으로 인해 실생활의 단면만 반영하고 구조가 불완전한 경우가 많습니다. 그러나 물방울이 태양 광선을 반사하는 것처럼 그것은 생명을 반영합니다.

현재 중화인민공화국 신문의 스크랩 모음집은 이웃 간의 관계, 가족생활, 우정, 연애 등 일반 치나인의 일상생활을 보도합니다. 다방면에서 치나 평범한 사람들의 현재 관심사와 도덕성, 정신적 형태를 보여줍니다.

타국의 에스페란토 사용자 친구들은 종종 우리에게 치나인의 일상생활에 관한 짧고 흥미로운 문학 작품을 더 많이 출판해 달라고 요청하는 편지를 보냅니다. 작은 꽃다발처럼 친구들에게 선물하는 우리의 편집본을 통해 그들의 호기심이 어느 정도 충족되기를 바랍니다.

편집자

---

1) 현재의 나라 이름은 중화인민공화국이라고 쓰고, 그 이전 그 땅에 있었던 많은 나라 이름은 가능한 한 그 시기의 나라 이름을 그대로 쓰며 (보기 : 한, 북위, 수, 당), 역사에 나온 모든 나라를 한꺼번에 부를 때는 전 세계에서 가장 일반적으로 쓰이는 영어 차이나(China)의 원어인 산스크리트 치나(Cīna)를 쓴다. '중국' 은 스스로 주변 나라들을 업신여기거나, 주변국들이 사대(事大)할 때 쓴 것이므로 치나(Cīna) 역사에 나온 모든 이름으로 모아서 부를 때 중국(中國)이라고 쓰는 것은 역사적 정의(定義)에 맞지 않는다. -서길수 박사의 견해를 따름

Bukedo al vi

Feng Ĝjicaj

Ĉu bukedo estas prezentata ne al triumfe revenanta heroo, sed al pala malsukcesinto?

Ŝi ĉiam tenis la kapon klinita. Ŝi tenis la belan kaj fieran kapeton mallevita de antaŭ kvar tagoj, kiam ŝi rulfalis de sur la ekvilibra trabo. Nun ŝi jam staris sur la tero de la Patrio, kaj veninte en la halon de Pekina Flughaveno, ŝi deziris nur kaŝi sian kapon en la kolumon. Ŝi timis vidi bonvenigantojn, timis respondi al ĵurnalistoj, timis vidi siajn fratinon kaj bofraton, kaj eĉ la entuziasman stevardinon ŝi timis renkonti. La stevardino estis ŝia adoranto kaj ĉiufoje, kiam ŝi iris eksterlanden por konkurso, fervore helpis ŝin porti valizon. Sed nun ŝi revenis kun malsukceso. Kia honto!

Ŝi havis plenan certecon gajni la kronon de la konkursoj de ekvilibra trabo kaj ŝtupa paralelo en tiu internacia konkurso. Tiel antaŭjuĝis ankaŭ specialistoj de en- kaj eksterlandaj gimnastikaj rondoj. Sed la rezulto surprizis ilin ĉiujn.

Antaŭ du jaroj, kiam ŝi unuafoje iris eksterlanden por partopreni en konkurso, ŝi ne estis multe atentata, ĉar inter ŝiaj kamaradoj estis multaj famaj gimnastinoj.

Ĝuste pro tio ŝi sentis sin facila en la spirito kaj ekster ĉies atendo gajnis du ĉampionecojn. Kiam ŝi revenis al tiu sama flughaveno, ŝi estis senprecedence varme bonvenigata. Multaj etendis al ŝi la manojn kaj kodakoj direktiĝis al ŝi. Ĵurnalisto kun okulvitroj bombardis ŝin per la demando "kion vi plej ŝatas". En konsterniĝo ŝi levis la okulojn kaj vidis faskon da floroj. "Florojn," diris ŝi. Kaj tuj sekve ŝi estis superŝutita de dekoj da bukedoj. En la pasintaj du jaroj ŝi plurfoje partoprenis en internaciaj konkursoj kaj ĉiam revenis kun oraj medaloj sur la brusto, kaj ŝin bonvenigis ridetantaj vizaĝoj, kodakoj kaj bukedoj. Ĉu tio jam fariĝis ŝarĝo en ŝia spirito? Skrupuloj kreskas kune kun gajnitaj venkoj. La spirita ŝarĝo estigita de venko estas pli peza ol tiu de malsukceso. Dank'al la spirita efiko la fizika doloro povas esti kvietigita, sed la ŝarĝo en la spirito estas neforskuebla. Ĉi-foje, kiam ŝi iomete ŝanceliĝis sur la ekvilibra trabo, ŝi tuj konsterniĝis kaj perdis la kapablon sin regi plu. Ŝi falis kaj, malsukcesis ankaŭ en la sekvantaj konkursoj.

Ŝi hontis vidi iun ajn kaj sin trenis post la aliaj. Sed kiam ŝi rimarkis, ke malmultaj salutis ŝin kaj ankaŭ ĵurnalistoj ŝajne ŝin evitis, ŝi sentis solecon kaj ignoritecon, kaj graviĝis en ŝi la deprimiteco kaj honto. Nun eĉ Dio ne povus ripari la situacion. Ŝi falis en konfuzon. Jes, kiu volus hurai al malsukcesinto?!

Subite ŝi vidis paron da piedoj antaŭ si. Kies piedoj? Ŝi malrapide levis la rigardon kaj vidis bluan pantalonon, longajn gambojn, latunajn butonojn, alabastran gracian vizaĝon sub ĉapo. Ho, estas la stevardino! Nun ŝi tenis la manojn post la dorso kaj alparolis kun rideto: "Mi televidis vian konkurson kaj sciiĝis, ke vi revenos hodiaŭ, kaj mi venas por bonvenigi vin."

"Mi fuŝis!" ŝi rapide mallevis la okulojn.

"Tamen vi jam faris grandan penadon."

"Mi estas malsukcesinto."

"Neniu povas eviti eventualan malsukceson. Mi kredas, ke la malsukceso kaj sukceso estas same gravaj por vi. La malsukcesoj apartenu al la pasinteco, kaj la sukcesoj al la futuro," diris la stevardino, milde sed firme.

Tion aŭdinte, ŝi relevis la kapon kaj vidis la stevardinon etendanta la manon de post la dorso. En la mano estis granda bunta bukedo. "Jen bukedo al vi!" diris la stevardino. La forta aromo fariĝis magia forto, kiu eniris en ŝian korpon. Ŝi eklarmis de emociiĝo.

Kio? Ĉu bukedoj, kiujn oni devas prezenti al triumfaj herooj, devas esti prezentitaj ankaŭ al pala malsukcesinto?

당신에게 꽃다발을

펑 지짜이

의기양양하게 돌아온 영웅이 아니라 실의에 빠진 패배자에게 꽃다발을 선물하나요?

여자는 고개를 항상 숙였습니다. 나흘 전 평균대에서 굴러떨어졌을 때부터 아름답고 자랑스러운 머리를 숙인 채 있었습니다. 이제 여자는 이미 고국 땅에 내려 섰고 베이징 공항 대합실에 들어올 때 옷깃에 머리를 숨기고 싶었습니다. 환영받는 사람들을 보는 것이 두려웠고, 기자들에게 대답하는 것이 두려웠으며, 언니와 시동생을 보는 것도 두려웠고, 심지어 그 열성적인 여자승무원을 만나는 것도 두려웠습니다. 그 승무원은 여자의 팬이었고, 해외 대회에 나갈 때마다 매번 여행가방 드는 것을 열심히 도와주었습니다. 그러나 이제 실패해서 돌아왔습니다. 정말 부끄러운 일입니다!

여자는 국제대회에서 평균대와 이단 평행봉 대회에서 우승할 것이라고 확신하고 있었습니다. 국내외 체조계 전문가들도 이런 전망을 했습니다. 하지만 그 결과는 모두를 놀라게 했습니다.

2년 전 처음으로 대회 출전하기 위해 해외에 나갔을 때는 동료들 중에 유명한 체조 선수들이 많아서 별로 주목을 받지 못했습니다. 그 덕분에 마음이 편해졌고 모두의 기대를 깨고 두 종목에서 우승을 차지했습니다. 같은 공항으로 돌아왔을 때, 전례 없는 따뜻한 환영을 받았습니다. 많은 사람이 악수하려고 손을 내밀었고 사진기는 여자를 찍으려고 향했습니다. 안경을 쓴 한 기자가 "무엇을 가장 좋아합니까?" 라는 질문을 했습니다. 그 여성 선수는 깜짝 놀라 고개를 들었고 꽃 한 다발을 보았습니다. "꽃이에요." 하고 말했습니다. 그리고 그 직후 수십 개의 꽃다발을 받았습니다. 지난 2년 동안 여러 차례 국제대회에 출전해 늘 금메달을 가슴에 안고 돌아왔고, 웃는 얼굴과 사진기, 꽃다발로 환대를 받았습니다. 이것이 이미 마음에 부담이 되었습니까? 조바심은 얻은 승리와 함께 자랍니다. 실패보다 승리가 가져오는 심적인 부담이 더 무겁습니다. 심리적인 효과로 인해 육체적인 고통은 누그러질 수 있지만, 정신적인 부담은 흔들리지 않습니다. 이번에 평균대 위에서 살짝 흔들렸을 때, 즉시 깜짝 놀랐고 더 이상 자신을 통제할 수 있는 능력을 잃었습니다. 넘어졌고 다음 경기에서도 실패했습니다.

여자는 누군가를 보는 것이 부끄러워서 다른 사람들 뒤로 숨었습니다. 그러나 인사하는 사람이 거의 없고 심지어 기자들도 자신을 피하는 것 같다는 사실을 깨닫자 여자는 외로움과 무시당함을 느꼈고 우울함과 수치심이 커졌습니다. 이제 신조차도 상황을 고칠 수 없을겁니다. 여자는 혼란에 빠졌습니다. 그래, 누가 패자를 응원하고 싶겠는가?!

갑자기 앞에서 한 쌍의 발을 보았습니다. 누구의 발이지? 여자는 천천히 고개를 들어 파란색 바지, 긴 다리, 놋쇠 단추, 모자 아래에 있는 설화석고의 우아한 얼굴을 보았습니다. 아, 그 승무원이구나! 이제 승무원은 등 뒤에 손을 둔 채 미소를 지으며 이렇게 말했습니다. "TV에서 당신의 경기를 보고 오늘 돌아온다는 것을 알았습니다. 나는 당신을 환영하기 위해 왔습니다."

"망쳤어요!"

여자는 재빨리 눈을 내리깔았습니다.

"하지만 당신은 이미 많은 노력을 기울였습니다."

"나는 실패자예요."

"아무도 궁극적인 실패를 피할 수는 없습니다. 나는 실패와 성공이 똑같이 중요하다고 믿습니다. 실패는 과거에, 성공은 미래에 속하게 하십시오."

승무원은 부드럽지만 단호하게 말했습니다.

그 말을 듣고 고개를 들자 승무원이 뒤에서 손을 내밀고 있는 것을 보았습니다. 손에는 크고 화려한 꽃다발이 들려 있었습니다.

"여기 당신을 위한 꽃다발이에요!"

승무원이 말했습니다. 강한 향기는 여자의 몸에 마법의 힘이 되었습니다. 감동해서 눈물을 흘렸습니다.

이건 뭔가요? 승리한 영웅에게 선물해야 할 꽃다발을 창백한 패배자에게도 선물해야 할까요?

Muro

Ĝoŭ Ŭejbo

La ambicia hedero ĉiam intencas okupi ĉiun colon de la muro. Unu el ĝiaj sennombraj branĉetoj kun ĉiroj preskaŭ konkeris la firston. Tiam vento alblovis kaj pendigis ĝin en la aero.

Tion Liŭ Ĉŭan vidis tra la fenestro. Li ekridetis subkonscie.

"Vi estas grimpa branĉo, kaj mi estas muro," foje diris Liŭ al Mej.

En liaj okuloj la branĉo pendanta en la aero fariĝis Mej. Sed kiam ŝi aŭdis lian metaforon, ŝi deturnis sin kaj foriris paŭtante.

"Mi ne bezonas postkuri ŝin, kiel ofte faras herooj en filmoj," pensis li. Same kiel aliaj junaj geamantoj, ili ofte koleretis unu kontraŭ la alia, sed en la fino ĉiam ŝi revenis al li en malpli ol semajno. Li estis tre memfida en tio.

Sed ĉi-foje la afero iom deviis. Li dediĉis tutan monaton al sia olepentraĵo «La Fortulo», kaj dum tiu monato ŝi ne venis, nek skribis al li.

Li iris al ŝia hejmo.

"Ŝi forestas," diris ŝia patrino, pririgardante lian

veston makulitan de farboj.

"Ĉu ŝi fartas bone?"

"Dankon, tre bone. Ŝi ofte eliris vespere. . . ĉu ne al vi?"

Ne trovinte konvenan respondon, li eliris senvorte.

"'Ŝi ofte eliris vespere', kion tio aludas?" La informo draste marteladis lian koron. Se ŝi vere rompus kun li, li ĉagreniĝus. Ŝi komprenigis lin, ke krom pentrado ekzistas ankaŭ aliaj interesaj aferoj en la vivo. Tamen li opiniis, ke li venas en la mondon unue por krei ion. Mielo ne gutas el la ĉielo kiel pluveroj. Sed nun ŝi foriris. Kial la grimpa branĉo devas kroĉi sin al la muro? Cetere, la koloro de la muro ne estas tiel plaĉa. . . Li mallevis la rigardon al sia vesto kaj obtuze vespiris.

Li revenis antaŭ sian pordon, ŝovis la ŝlosilon en la truon de la seruro, sed lia mano haltis - sur la pordo estis alpinglita paperslipo, kun kvinpetala umefloro kiel subskribo. Ŝi ĉiam ŝatas ion originalan. Super la floro estis: "I'm a wall too". Ha, kiam ŝi lernis la anglan lingvon?

"Ankaŭ mi estas. . . kio?" Li forgesis la signifon de la vorto "wall". "Puto?" Li konfuziĝis, ĉar li ekmemoris, ke poetoj ofte komparas velkintan koron kun elĉerpita puto. Li senprokraste turnis sin al la vortaro.

"Wall. . .Wall. . . puto, seka puto. . ." En konsterniĝo lia kapo frapiĝis kontraŭ la muron. Sed la frapiĝo lin ekkomprenigis: Jes, muro!

Li aŭdis subridadon. Li faris abruptan turniĝon kaj

frapiĝis kontraŭ alian "muron", sed ĉi-foje la "muro" estis mola.

"Kial vi tiel longe flankenmetis min?" Kiel branĉo, li etendis kaj metis siajn manojn sur ŝiajn ŝultrojn.

"Ankaŭ mi estas muro," humure respondis Mej.

벽

조우 웨이보

야심찬 담쟁이덩굴은 항상 벽의 구석구석을 차지하려고 합니다. 덩굴손이 달린 수많은 가지 하나가 용마루를 거의 장악했습니다. 그때 바람이 불어 그것을 공중에 매달아 놓았습니다.

이것을 **리우 추안**이 창문을 통해 보았습니다. 리우는 무의식적으로 미소를 지었습니다.

리우는 한때 **메이**에게 "당신은 기어오르는 덩굴 가지이고 나는 벽입니다." 라고 말했습니다.

리우 눈에는 공중에 매달린 덩굴 가지가 메이가 되었습니다. 그러나 리우의 비유를 듣고 메이는 돌아서서 삐죽거리며 걸어갔습니다.

'영화에 나오는 영웅들이 자주 하는 것처럼 여자를 뒤따를 필요는 없어.' 라고 리우는 생각했습니다. 다른 젊은 연인들처럼 그들은 종종 서로에게 화를 냈지만 결국 메이는 항상 일주일도 안 되어 리우에게 돌아왔습니다. 리우는 그것에 대해 매우 확신했습니다.

그러나 이번에는 문제가 조금 달랐습니다. 리우는 유화(油畫) "강한 자" 를 그리는 데 한 달 내내 매달렸지만, 그달 내내 메이는 오지도 않았고 편지도 쓰지 않았습니다.

리우는 메이의 집에 갔습니다.

"메이는 없어요." 하고 메이의 어머니가 페인트 작업으로 얼룩진 리우의 옷을 바라보며 말했습니다.

"메이는 잘 지내나요?"

"고마워요. 아주 잘 지내요. 메이는 저녁에 자주 나가요. 젊은이에게 가지 않았나요?"

적절한 대답을 찾지 못한 리우는 아무 말 없이 나왔습니다.

" '저녁에 자주 나갔다'는 게 무슨 뜻일까?"

그 정보는 리우의 마음을 극적으로 두드렸습니다. 메이가 정말로 리우를 떠난다면 리우는 화가 날 겁니다. 메이는 그림 외에도 인생에는 다른 흥미로운 것들이 있다는 사실을 리우에게 알려주었습니다. 그러나 리우는 자신이 무엇인가를 창조하기 위해 먼저 세상에 왔다고 생각했습니다. 꿀은 빗방울처럼 하늘에서 떨어지지 않습니다. 하지만 이제 메이는 사라졌습니다. 왜 기어오르는 덩굴 가지가 벽에 달라붙어야 합니까? 게다가 벽의 색상도 그다지 마음에 들지 않습니다. 리우는 자신의 옷을 내려다보며 희미하게 숨을 내쉬었습니다.

리우는 문으로 돌아와 자물쇠 구멍에 열쇠를 넣었지만 손을 멈췄습니다. 문에는 다섯 개의 꽃잎으로 된 매화꽃 한 송이와 함께 종이 쪽지가 붙어 있었습니다. 메이는 항상 독창적인 것을 좋아합니다. 꽃 위에는 영어로 "I'm a wall too(나도 벽이다)." 라는 문구가 적혀 있었습니다. 아, 그 사람은 언제 영어를 배웠나요?

"나도…. 무엇이라고?" 리우는 "wall(벽)" 이라는 단어 의미를 잊어버렸습니다. "우물이라고?" 리우는 시인들이 종종 메마른 마음을 물을 퍼낸 우물에 비유한다는 사실을 기억했기 때문에 혼란스러웠습니다. 즉시 사전을 찾았습니다.

"wall…. wall…. 우물, 마른 우물…." 깜짝 놀라서 머리를 벽에 부딪쳤지만 그 충격으로 인해 깨달았습니다. 그렇습니다, 벽입니다!

리우는 누군가의 웃음소리를 들었습니다. 급히 머리를 돌리다 또 다른 '벽'에 부딪쳤지만 이번에는 '벽'이 부드러웠습니다.

"왜 나를 그렇게 오랫동안 멀리했나요?"

덩굴 가지처럼 리우는 손을 뻗어 메이 어깨에 손을 얹었습니다.

메이는 "저도 벽이거든요." 라고 유머 있게 대답했습니다.

Aŭtuna Rememoro

Ŝi Tjeŝeng

Post paraliziĝo de la gamboj, mia humoro fariĝis furioza kaj kaprica. Foje mi subite frakasis la fenestran vitron antaŭ mi, kiam mi vidis sovaĝanserojn flugantaj al la nordo; alifoje, aŭskultante la dolĉan voĉon de kantistino en la radioricevilo, mi forĵetis kontraŭ la muron ĉion, kion mia mano hazarde kaptis. En tiaj okazoj, mia patrino senbrue foriris, sin kaŝis for de miaj okuloj kaj subaŭskultis pri mi. Kiam ĉio silentiĝis, ŝi reaperis antaŭ mi kun ruĝaj okuloj kaj min rigardadis. "Oni diras, ke en la parko Bejhaj prosperas floroj, ĉu mi veturigus vin tien?" ofte proponis ŝi. Ŝi ŝatis florojn, sed post kiam mi paraliziĝis, ĉiuj ŝiaj floroj velkis. "Ne, mi ne volas!" mi kriegis pugnante la gambojn, "eĉ vivi mi ne volas!" Ŝi sin ĵetis al mi, kaptis miajn manojn kaj konsolis min retenante ploron: "Tamen ni devas vivi, ni vivu bone. . . Mi vin akompanos."

Sed dum longa tempo mi ne sciis, ke grave seriozigis ŝia malsano. Poste mia fratino diris al mi, ke mia patrino ofte maldormis tutan nokton pro hepata doloro.

Tiun tagon, mi denove restis sola en la ĉambro kaj rigardis la susuran faladon de arbofolioj. La patrino eniris kaj staris antaŭ la fenestron. "Floras krizantemoj en la parko Bejhaj, ĉu mi veturigus vin tien per puŝĉaro?" Petego legeblis sur ŝia velka vizaĝo. "Kiam?" "Ĉu morgaŭ, se vi volas?" "Do morgaŭ." Mia konsento tiel ĝojigis ŝin, ke ŝi jen sidiĝis, jen stariĝis. Ŝi murmure ripetis: "Mi tuj faros preparon." "Ej, la parko estas tre proksime, kaj kia preparo necesas!" Ŝi ekridetis, sidiĝis apud min kaj eksplikis sian planon: "Reveninte de la krizantemoj, ni iru al la butiko, kie oni vendas kukon kiun vi tre ŝatis en la infaneco. Ĉu vi memoras tiun viziton al la parko? Vi insistis, ke la amentoj de poploj estas vermoj, kaj ekkuris por treti. . ." Subite ŝi ĉesigis la parolon, ĉar ĉe la vortoj "kuri", "treti" k.s. ŝi estis pli sentema ol mi. Ŝi foriris senbrue.

Ŝi eliris kaj ne revenis plu.

Kiam la najbaroj portis ŝin sur ĉaron, ŝi ankoraŭ sputadis sangon. Mi ne atendis, ke tiel grave malsaniĝis mia patrino. Rigardante la forirantan ĉaron, mi ankaŭ ne atendis, ke ŝi forlasos min por eterne.

Kiam junulo de najbara familio portis min surdorse al la hospitalo, mi vidis mian patrinon malfacile spiranta. Oni diris al mi, ke ŝiaj lastaj vortoj antaŭ la sveno estis: "Mia paralizita filo, mia tro juna filino. . ."

Denove estas aŭtuno. Mia fratino veturigas min per puŝĉaro en la parkon Bejhaj por rigardi krizantemojn. La graciaj flavaj floroj, la noblaj neĝblankaj floroj, la fervoraj kaj edifaj purpuraj floroj. . . ĉiuj plene disvolviĝas en la aŭtuna vento. Mi komprenas la lastajn vortojn de la patrino, ankaŭ la fratino komprenas. Ni devas vivi bone. . .

가을의 추억

쉬 톄쉥

다리가 마비된 후 기분이 격해지고 변덕스러워졌습니다. 때로는 기러기가 북쪽으로 날아가는 것을 보았을 때, 나는 갑자기 내 앞의 유리창을 깨뜨렸습니다. 또 한 번은 라디오에서 흘러나오는 여가수의 감미로운 목소리를 듣다가 손에 잡히는 대로 모든 것을 벽에 던졌습니다. 그럴 때마다 어머니는 조용히 나가서 내 눈을 피해 숨어 내 말을 엿듣곤 하셨습니다. 모든 것이 조용해지자 빨개진 눈으로 내 앞에 다시 나타나 나를 바라보셨습니다. "베이하이 공원에 꽃이 활짝 피었다는데, 거기까지 데려다줄까?" 하고 자주 제안하셨습니다. 어머니는 꽃을 좋아하셨지만, 내가 마비된 이후로 어머니의 꽃은 모두 시들었습니다.

"아니요, 그러고 싶지 않아요!" 나는 다리를 주먹으로 치며 소리를 질렀습니다. "살고 싶지도 않아요!"

어머니는 내게 몸을 던져 손을 잡고 눈물을 참으며 위로하셨습니다. "그래도 우리는 살아야 해, 잘 살아야 해. 내가 같이 갈게."

그러나 오랫동안 나는 어머니의 병이 매우 심각해졌다는 사실을 알지 못했습니다. 나중에 어머니가 간 통증으로 밤을 지새우는 경우가 많았다는 말을 여동생이 했습니다.

그날도 나는 다시 방에 홀로 남겨져 나뭇잎이 바스락거리며 떨어지는 것을 지켜보았습니다. 어머니가 들어와서 창문 앞에 섰다. "베이하이 공원에 국화가 피어 있는데, 손수레로 거기까지 데려다줄까?" 어머니의 주름진 얼굴에서 간청을 읽을 수 있었습니다.

"언제요?"

"원한다면 내일이라도?"

"그럼 내일요." 내가 동의하자 어머니는 너무 기뻐서 안절부절 못하셨습니다.

어머니는 중얼거리며 되풀이하셨습니다. "금방 준비할게."

"아아, 공원은 매우 가까운데 무슨 준비가 필요한가요?"

어머니는 살짝 웃으며 내 옆에 앉아 자신의 계획을 설명하셨습니다. "국화를 보고 돌아온 뒤, 어렸을 때 아주 좋아했던 과자 가게에 가자. 그 공원에 갔던 적을 기억하니? 너는 버드나무의 버들강아지를 벌레라며 그것들을 짓밟으려고 달려갔지."

갑자기 어머니는 "짓밟으려", "달려갔지" 등의 말에서 그만 말을 멈추셨습니다. 저보다 더 예민하셔서 소리 없이 나가셨습니다. 그리고 다시는 돌아오지 않으셨습니다.

이웃들에 의해 어머니가 수레에 실려 있을 때에도 어머니는 여전히 피를 흘리셨습니다. 나는 어머니가 그렇게 심각하게 아플 것이라고는 예상하지 못했습니다. 떠나는 수레를 보면서 어머니가 영원히 나를 떠날 것이라고는 상상하지 못했습니다.

이웃집 청년이 나를 업고 병원으로 갔을 때 어머니가 가쁜 숨을 쉬는 모습이 보였습니다. 어머니가 기절하기 전 마지막으로 한 말씀은 "내 마비된 아들, 너무 어린 내 딸…" 이었다고 사람들이 말해 주었습니다.

또 가을이 왔습니다. 여동생은 나를 손수레에 태워 국화를 보라고 베이하이 공원으로 데려다주었습니다. 우아한 노란색 꽃, 고귀한 눈처럼 흰 꽃, 열정적이고 고양시키는 보라색 꽃…. 모두 가을바람에 활짝 피었습니다. 나는 어머니의 마지막 말을 이해하고 여동생도 이해합니다. 우리는 잘 살아야 합니다.

Agrabla Printempa Nokto

U Ĝinljang

"Se venos iu alia, mi nepre petos lian helpon," tiel pensante, Ĉen Ĝing levis la okulojn al la malforta stratlampo. Estis profunda nokto, kaj ĉirkaŭe estis strangaj ombroj. "Fi, malbeninda biciklo!" ŝi vespiris el la fundo de la koro.

Postdorse eksonoris bicikla tintilo, kaj apenaŭ ŝi kriis por helpo, junulo preterpasis biciklante.

Ha, li returnis sin. Ŝi tamen maltrankviliĝis: "Ja estas tre malfrue, ĉu li. . ." "Ĉu vi vokis min?" La junulo saltis de sur la biciklo. "Ho, ne!" Ŝia knabina singardemo superis ĉion alian, kaj ŝi ekstumblis en la parolo. "Eble perturbiĝis via biciklo?" Li rigardis ŝin per okuloj ŝajne ridetantaj. Ĉen Ĝing iom kvietigis sian streĉitan koron. "La ĉeno estas senmovigita en la kovrilo," murmuris ŝi kun mallevita kapo, kaj en ŝia koro ekbrilis espero. "Tiuokaze ankaŭ mi ne kapablas helpi vin. Sen instrumentoj neniu povas malfermi la ĉenkovrilon." Ĉen Ĝing denove falis en malesperon. "Ĉu vi loĝas malproksime?" "Mi?" Ŝi konsterniĝis kaj subkonscie faris kelkajn paŝojn antaŭen puŝante la biciklon. "Nu, maldekstre ĉe la fino de la strateto estas biciklориparejo, eble tie oni helpos vin." La junulo sidiĝis sur la biciklo kaj forflugis. "Hm, kia malhelpemulo!" Ĉen Ĝing preskaŭ ekploris. Jam estis la 11-a en profunda nokto. Kiu riparejo servas en tiel malfruaj horoj? "Nura mensogo! Inkubsonĝon al vi!" ŝi malbenis en la koro."

Kvankam ŝi ne kredis je la junulo, tamen ĉe la fino de la strateto ŝi ekstervole ĵetis rigardon maldekstren. Ha, vere estas dometo kun lumanta lampo ene. Ŝi haltis hezite. Tiam el la domo elpaŝis knabino de ĉirkaŭ 20 jaroj. "Kamaradino, envenu!" "Aha, vere estas bicikloriparejo!" Ĉen Ĝing kvazaŭ ekvidis antaŭ si brilan lumon kaj tute forvaporiĝis ŝiaj malĝojo kaj timo.

En tiu alstrata dometo troviĝis du ĉambroj. La pordo al la interna ĉambro estis fermita. En la ekstera ĉambro estis nur tablo, lito kaj biciklo. Apud la tablo junulo priserĉis ion kaŭrante. "Bonvolu eniri. Pardonon, ke la ĉambro estas tro malgranda." La junulo stariĝis kun ŝraŭbturnilo en la mano. "Estas vi?" ekmiris Ĉen Ĝing. "Jes, estas mi," ekridis la junulo. "Mi ja diris al vi, ke tie ĉi oni vin helpos, ĉu mi povus trompi vin?" Li ruzete palpebrumis. "Mia frato ĵus revenis de meza skipo, kaj enpaŝinte en la domon, li brule vekis min dirante, ke estas io grava. Nun mi komprenas. . ." La knabino parolis tiel rapide, kvazaŭ pafis mitralo. "Mi tro ĝenas vin," diris Ĉen Ĝing al la knabino kun rideto kaj dankemo. "Nenio grava. Mia frato timis, ke vi ne kuraĝas enveni, kaj vekis min, por ke mi akceptu vin.

Vi ja estas tro timema. Se mi estus vi, mi ne timus." Ŝiaj vortoj iom ruĝigis Ĉen Ĝing.

Baldaŭ la biciklo estis riparita. "Kiom mi devas pagi?" demandis Ĉen Ĝing, kore esperante, ke la junulo postulos de ŝi pli multe. "Pagi al mi?" li miris kaj tuj ekridis: "Do pagu 5 juanojn." Li etendis al mi la grandan manon olemakulitan. "5 juanojn?! Simple ĉantaĝo!" Ŝi estis surprizita de la prezo kaj nevole elpoŝigis la monujon. "Fraĉjo. . " ekkriis kun tirata voĉo la parolema fratino. "Jam estas tre malfrue, sed vi ankoraŭ ŝercas!" Ŝi kun ŝajnigita kolero batfaligis lian malpuran manon kaj turnis sin al Ĉen Ĝing: "Kamaradino, ne miskomprenu. Li estas ĉiam ŝercema. Ni ne estas profesiaj bicikloriparistoj. Ni nur deziris vin helpi, sed ni ne postulas pagon." La knabino ruĝiĝis de singeno. "Nu, mi ne ŝercu plu." La junulo kunfrotis la manojn kaj ekridis vidigante la blankajn dentojn.

Survoje Ĉen Ĝing sentis agrablecon, kiam milda venteto tikle karesis ŝiajn longajn harojn kaj ŝian vizaĝon. Ŝajnis al ŝi, ke hodiaŭ la stratlampoj estas aparte helaj kaj brilaj, kaj en la aero estas dolĉa kaj ebriiga odoro.

Ho, kiel agrabla printempa nokto!

즐거운 봄밤

우 진량

'누군가 사람이 오면 반드시 그 사람에게 도움을 요청해야지.' 라고 생각한 **첸징**은 희미한 가로등을 향해 눈을 떴습니다. 깊은 밤이었고 주변에는 이상한 그림자가 있었습니다. '젠장, 빌어먹을 자전거!' 하고 마음 속으로 한숨을 쉬었습니다.

등 뒤에서 자전거 종소리가 울려서, 간신히 도와달라고 소리쳤더니 한 청년이 자전거를 타고 지나갔습니다.

아, 그런데 그 사람이 돌아섰습니다. 하지만 첸징은 "정말 너무 늦지 않았나?" 라며 불안했습니다.

"나를 불렀나요?"

청년은 자전거에서 뛰어내렸습니다.

"아, 아니요!"

소녀다운 조심성이 다른 모든 것보다 우선해, 그 말을 끝까지 제대로 하지 못했습니다.

"아마도 자전거가 고장난 모양이네요." 하고 웃고 있는 듯한 눈으로 첸징을 바라보았습니다. 첸징은 긴장된 마음을 조금 진정시켰습니다.

"덮개 속에서 체인이 안 움직여요."

첸징은 고개를 숙인 채 중얼거렸고, 마음속에는 희망이 번쩍였습니다.

"그렇다면 나도 도와줄 수 없어요. 도구가 없으면 누구도 체인 덮개를 열 수 없거든요."

첸징은 다시 절망에 빠졌습니다.

"멀리 사시나요?"

"저요?"

첸징은 깜짝 놀랐으나, 무의식적으로 자전거를 밀어 몇 걸음 앞으로 나아갔습니다.

"그럼 골목 끝 왼편에 자전거 수리점이 있는데 거기서 도와줄 지도 몰라요." 청년은 자전거에 앉아 날아가듯 떠났습니다.

"흠, 정말 도움이 안되는 사람이군!"

첸징은 거의 울기 직전이었습니다. 벌써 한밤중 11시가 되었습니다. 어떤 수리점이 이렇게 늦은 시간까지 운영할까?

"그냥 거짓말이군! 너에게 악몽이나!"

첸징은 마음속으로 저주했습니다.

첸징은 청년의 말을 믿지 않았지만 골목 끝에서 무심코 왼쪽으로 시선을 돌렸습니다. 아, 정말 안에 불이 켜진 작은 집이 있었습니다. 첸징은 머뭇거리며 멈췄습니다. 그때 대략 스무 살의 소녀가 집에서 나왔습니다.

"손님, 들어오세요!"

"아하, 정말 자전거 수리점이네요!"

첸징은 눈앞에 밝은 빛을 본 것 같았고 슬픔과 두려움은 완전히 사라졌습니다.

거리에 붙은 작은 가게에는 방이 두 개 있었습니다. 안방으로 들어가는 문은 닫혀 있었습니다. 바깥방에는 탁자와 침대, 자전거만 있었습니다. 탁자 옆에는 젊은 남자가 웅크리고 뭔가를 찾았습니다.

"들어 오세요. 방이 너무 작아서 미안하네요."

청년은 손에 드라이버를 들고 일어섰습니다.

"좀 전의 그쪽인가요?"

첸징은 깜짝 놀랐습니다.

"그래, 나예요."

청년이 웃었습니다.

"여기 오면 도움이 될 거라고 말했는데, 속인 것처럼 들렸나요?"

청년은 놀릴 듯한 눈을 깜박였습니다.

"오빠가 중간 작업반 일을 마치고 막 돌아왔는데 집에 들어오자마자 중요한 일이 있다며 나를 불같이 깨웠어요. 지금은 이해하겠네요." 그 소녀는 마치 기관총이 발사된 것처럼 빠르게 말을 했습니다.

첸징은 "불편을 끼쳐 미안합니다." 라고 미소를 지으며 감사의 마음으로 소녀에게 말했습니다.

"아닙니다. 오빠는 아가씨가 혼자 여길 감히 들어오지 못할까 걱정이 되어 손님 맞으라고 나를 깨웠어요. 아가씨는 정말 수줍음이 너무 많아요. 나라면 두렵지 않을 텐데."

아가씨의 말에 첸징은 약간 얼굴이 붉어졌습니다.

곧 자전거가 수리되었습니다.

"얼마를 지불해야 합니까?"

첸징은 청년이 더 많이 요구하기를 진심으로 바라며 물었습니다.

"내게 지불하려고?"

청년은 놀라서 즉시 웃었습니다.

"그럼 5위안을 내세요." 하고 기름 묻은 커다란 손을 나에게 내밀었습니다.

"5위안? 단순히 공갈이군요!"

첸징은 가격에 놀라서 무심코 지갑을 꺼냈습니다.

"오빠…." 라고 수다쟁이 여동생은 긴장된 목소리로 외쳤습니다. "이미 늦었는데 여전히 농담이나 해요?" 하고 화내는 척하며 오빠의 더러운 손을 슬쩍 치며, 첸징에게 이렇게 말했습니다.

"언니, 오해하지 마세요. 오빠가 늘 농담을 해요. 저희는 자전거 수리점이 아니예요. 우리는 단지 돕고 싶었기에 지불을 요구하지 않아요."

소녀는 부끄러워서 얼굴을 붉혔습니다.

"이제 더 농담하지 않을게요."

청년은 두 손을 비비며 하얀 이를 드러내고 웃었습니다.

가는 길에 첸징은 부드러운 바람이 자신의 긴 머리와 얼굴을 간지럽힐 때 기분이 좋았습니다. 오늘 가로등이 유난히 밝게 빛나고, 공기 중에는 달콤하고 취하게 하는 냄새가 나는 것 같았습니다.

아, 정말 기분 좋은 봄밤이군요!

Li Volis Kanti

Ĝin Ŝi

Lasu la ĉevalon tiri libere. Li kuŝis sur la ĉaro apogante sin sur laktujoj, kaj legis la lazuran ĉielon. Jen peceto da nubo, tre simila al ŝi, sed ĝi ŝvebis al la foraĵo. . .

"Hej, kiu veturigistaĉo kondukas la ĉaron?!"

Li fulmorapide leviĝis kaj vidis, ke la ĉevalo, logita de la sukaj herboj apud la vojo, preskaŭ prempuŝis biciklon en fosaĵon flanke de la vojo. Estas ŝi?!

"Kia ŝtipo vi estas!"

"Kia saĝulo vi estas! Alie, vi ne povus trapasi la ekzamenon al universitato!" murmuris li, sed nur en la koro. Ŝi reiris sur la vojon kaj komencis bicikli malrapide. Ŝi estis veturanta al la gubernia urbo por ricevi lernomaterialojn, kaj nun ŝi povis kuniri kun li.

"Kial vi ne lernas?"

"Ĉar mi estas stulta."

"Hihi, senklereco plistultigas!"

"Tamen mi enspezas ĉiujare mil aŭ dumil juanojn."

"Ĉu vi kontentiĝas per la mono?"

"Jes, la mono ja signifas televidilon. Hodiaŭ mi aĉetos unu."

"Hm, ĉu vi estas certa, ke vi scipovas televidi? Hihi!" ŝi rapidigis sian bicikladon postlasinte ravajn ridojn.

Portinte la lakton al la gubernia urbo, li aĉetis televidilon. Kiam li revenis en la vilaĝon, la suno ĵus transiris la zeniton. La tutan posttagmezon li sin okupis pri la starigo de anteno, instalo de lineo kaj similaj laboroj. Sed kiam li ŝaltis la televidilon vespere, li vidis sur la ekrano nur sennombrajn arĝentajn "leporojn" saltantajn. Kiel ajn li akomodadis la aparaton, li ne povis forpeli ilin. En kolero li malŝaltis la televidilon kaj iris el la domo. Ve, tion ŝi ja antaŭdiris. Ĉu ŝi ne perdus la spiron de ridego, se ŝi informiĝus pri la afero?

Li longe vagadis en la vilaĝo kaj revenis hejmen tre malfrue. Apenaŭ li enpaŝis en la korton, li aŭdis la konatan ridadon. Ĉu eniri aŭ retiriĝi? Sed li jam estis vidita. "Envenu kaj manĝu, poste ni televidu!"

". . ."

"Sciu, ke la interferon estigis la fulmosuĉilo sur la transformatoro antaŭ via domo. Necesas nur iom turni la eksterdoman antenon."

"Ĉu vere? Mi tuj tion plenumos."

"Ĉu vi ne vespermanĝos? Ŝtipo!"

Kiam komenciĝis la programeroj kaj la ĉambro estis plena de spektantoj, ili staris duope ekster la domo.

"Kiam vi foriros lerni?"

"Mi ja lernos ĉe la korespondа universitato."

"Por kio vi vizitos la lernejon, se vi ne iros en la urbon?"

"Ĉu oni sin klerigas nur por trovi profesion en urbo? Ĉu la kamparanoj devas resti senkulturaj de generacio al generacio?"

"Mi nur aludis, ke tio kion vi studos estas neaplikebla ĉi tie."

"Sed estonte? Ĉu vi volas, ke ankaŭ niaj filoj kaj nepoj estu senkleraj kiel vi?"

"Do. . . tiaokaze ankaŭ mi lernu de vi."

"Nu, salutu min per riverenco!"

Li vere riverencis al ŝi. "Ŝtipo vi ja estas!" ŝi ruĝiĝis kaj rapide forkuris. Io agrabla ekfrapis al li la koron kaj li vere volis kanti.

남자는 노래하고 싶었어요

진 쉬

말이 자유롭게 수레를 끌고 가도록 내버려두자. 남자는 우유통에 기댄 채, 수레에 누워 푸른 하늘을 읽었습니다. 여기에 그 여자와 매우 흡사한 구름조각이 있었지만, 그것은 저 멀리 떠내려….

"야, 수레 운전하는 놈이 누구야?!"

남자는 그 말에 번개처럼 빨리 일어섰고, 말이 길가의 무성한 풀에 이끌려 자전거를 길가의 도랑에 밀어 넣을 뻔한 것을 보았습니다. 그 여자인가?!

"정말 얼간이로군!"

"얼마나 똑똑하냐! 그렇지 않으면 대학 시험에 합격할 수 없을 거야!"

남자는 중얼거렸지만 마음속으로만. 여자는 도로로 돌아와 천천히 자전거를 타기 시작했습니다. 학습 자료를 얻으려고 읍내로 자전거를 타고 가는데 이제 남자와 함께 갈 수 있게 되었습니다.

"왜 공부를 하지 않니?"

"내가 멍청하기 때문에."

"안녕, 무지가 더 바보를 만들어!"

"그렇지만 매년 천 위안, 이천 위안을 벌거든."

"돈에 만족하니?"

"그래. 돈은 텔레비전을 의미해. 오늘 하나 살거야."

"음, 혹시 텔레비전 볼 줄은 알아? 히히!"

여자는 즐거운 낄낄거림을 남기고 자전거 속도를 높였습니다.

남자는 우유를 읍내로 가져간 후 텔레비전을 샀습니다. 마을에 돌아왔을 때, 태양은 막 하늘꼭대기를 넘어섰습니다. 오후 내내 안테나를 세우고, 선을 설치하고 관련 작업에 몰두했습니다. 그러나 저녁에 텔레비전을 켰을 때 화면에 보이는 것은 수많은 은색 '토끼'가 뛰어오르는 것뿐이었습니다. 장치를 어떻게 조작하더라도 그것들을 몰아낼 수는 없었습니다. 화가 나서 텔레비전을 끄고 집을 나갔습니다. 아아, 그 여자는 그것을 예측했습니다. 이 사실을 알게 되면 여자는 웃다가 숨이 막힐 것 같지 않을까?

남자는 오랫동안 마을을 헤매다가 아주 늦게 집으로 돌아왔습니다. 마당에 들어서자마자 익숙한 웃음소리가 들렸습니다. 들어갈 것인가, 말 것인가? 그러나 이미 발각되었습니다.

"들어와서 밥 먹고 텔레비전이나 보자!"

"…."

"집 앞에 있는 변압기의 피뢰침 때문에 간섭이 발생한 걸 알아둬. 실외 안테나를 조금만 돌리면 돼."

"정말? 바로 할게."

"저녁 안 먹을 거야? 얼간아!"

프로그램이 시작되고 방이 구경꾼으로 가득 찼을 때 그들 둘은 집 밖에 섰습니다.

"언제 공부하러 떠날 거니?"

"통신대학에서 공부할거야."

"시내로 가지 않으면 학교에는 왜 찾아가니?"

"단지 도시에서 직업을 찾기 위해 교육을 받니? 농민들은 대를 이어 미개한 상태로 남아 있어야만 하니?"

"단지 네가 공부할 내용이 여기에 적용되지 않는다는 것을 암시하고 있었을 뿐이야."

"하지만 미래에는? 우리 아들, 손자들이 너처럼 교육받지 못하기를 바라니?"

"그래서… 그렇다면 나도 네게 배울 수 있게 해줘."

"그럼, 나에게 큰절로 인사해!"

남자는 정말로 여자에게 큰절했습니다.

"넌 정말 얼간이야!"

여자는 얼굴을 붉히며 재빨리 달아났습니다. 뭔가 기분 좋은 일이 남자의 마음을 사로잡아 정말 노래를 부르고 싶었습니다.

En Vesperkrepusko

Liŭ Ŝuŝen

Kiam la suno estis subiranta, venis al la komuna krano[2] junulo kun paro da malplenaj siteloj. La siteloj balanciĝantaj knaradis ritme. Ĉe la cisterno rebrilis akveroj kaj aŭdiĝis bruo de vestolavado. La knabino en hele purpura ĉemizo, lavanta vestojn ĉe la cisterno, tuj mallevis la kapon kaj rapidigis la frotlavadon vidinte la alpaŝantan junulon.

Li, en torenta ŝvitado, venis al la krano jam la sepan fojon tiutage. La akvo elfluis lante, sed li tute ne urĝiĝis. Rigardante ŝiajn taŭzitajn harojn, li ekhavis la penson, ke li volontus porti akvon al la dekkelkaj familioj en la korto.

La vesperkrepusko fariĝis pli kaj pli ruĝa. La tuta mondo fandiĝis en la koloro, nur la kalkansidanta knabino siluetiĝis en la vespera duonhelo kiel delikata akvolilio. Kiam ŝiajn orelojn plezurigis la lirlado de modere fluanta akvo, ŝi sendube povis renkonti la

2) Multaj malnovaj loĝdomoj en urboj de Ĉinio ne havis akvoprovizon, nek kloakaron, kaj ofte familioj de pluraj kortoj uzis komunan kranon apud la strateto. Nun la stato estas plibonigita, kaj preskaŭ ĉiu korto havas sian kranon.

pasian rigardon de la junulo. Kiam la akvo ekfluis forte, ŝi sciis, ke venis aliulo por preni akvon. Kiam ŝi bezonis ŝanĝi akvon, li tuj flankenmetis siajn sitelojn por cedi al ŝi la kranon, kaj tiam tiel forte batis al ŝi la koro, kvazaŭ ĝi krevus de eksciteco.

La junulo foriris, la knabino iom ordigis al si la harojn ĉe la tempioj per la mano kovrata de sapŝaŭmo, kaj la sapŝaŭmo alkroĉiĝis al ŝiaj haroj kvazaŭ prujno. Li paŝis flugrapide, sed tamen lia figuro malaperis nur post longe, pro kio domaĝis la knabino: "Kiom da akvo lia familio bezonas? Certe lia familio estas tre granda kaj li havas multajn gefratojn. Ĉu mi povos harmonie kunvivi kun tiom da bogefratoj? . . ." Subite ŝi ruĝiĝis kaj sin riproĉis: "Kiajn hontindajn pensojn mi ja havas!"

Venis al la krano la akvoportanto, venis ankaŭ la vestolavantino. Ili senvorte intervidiĝis en vesperruĝo kaj disiĝis ĉe la falo de la nokta kurteno. Pasis printempo kaj pasis ankaŭ aŭtuno, kaj pasis pli ol unu jaro, sed li kaj ŝi neniam alparolis unu la alian, kvankam iliaj okuloj milfoje reciprokis saluton.

Nun oni decidis instali en ĉiu korto kranon, kaj ekbolis la tuta strateto. Dum ĉiuj hurais pro la ĝojiga novaĵo, la knabino malvigliĝis kvazaŭ vegetalo atakita de prujno, kaj ankaŭ la junulo perdis la trankvilon. Maljunaj avoj kaj avinoj en la korto diris al la junulo: "Bona infano, en la pasintaj jaroj ni multe ĝenis vin; nun oni instalos por ni kranon, kaj vi liberiĝos de la akvoportado." Li kontraŭvole jesis. La knabino volus ploregi, sed ankaŭ ŝi respondis al siaj kamaradinoj: "Jes, tio estas tre oportuna al ni..."

Kiam la suno kliniĝis al la horizonto, la cisterno estis malkonstruita, kaj nur la maljuna soforo solece staris ĉe la "ruino".

La loĝantoj decidis fari sur la "ruino" florbedon. Dirite, farite. En malpli ol unu tago, la konstruo jam estis plenumita. Ĉe la fino de la laboro, la knabino, senĉese kuraĝigante sin, iris al la junulo kaj enmanigis al li mantukon. Viŝante al si la ŝviton per la tuko, li iom stulte balbutis al ŝi: "Ni venu ĉi tien ĉiutage kiel antaŭe. .."

Malproksime domblokoj baniĝis en vesperruĝo. La junulo eliris el sia korto kaj venis al la florbedo kunportante sitelon da akvo. Maljunuloj ripozantaj ĉe la florbedo diris kun rideto: "Stulta knabo! Vi ja estas destinita al ĉiama laboro!"

La knabino trikanta apude eksplodis per rido, kaj ŝia fadenbulo falis teren kaj ruliĝis for kaj for.

Alblovis zefiro. Delekte aromis la floroj en la bedo. Ruĝe radiis la vizaĝoj de la homoj, kvazaŭ ebriaj.

저녁 황혼에

리우 슈센

해가 해가 지고 있을 때, 한 청년이 빈 양동이 두 개를 들고 공동수돗가[3]로 왔습니다. 흔들리는 양동이가 율동적으로 삐걱거렸습니다. 수돗가에서는 물방울이 반짝거리고 빨래하는 소리가 났습니다. 밝은 보라색 셔츠를 입은 소녀는 수돗가에서 빨래하고 있었는데, 청년이 다가오는 것을 보자 즉시 고개를 숙이고 빨래 속도를 높였습니다.

청년은 땀을 많이 흘리며 그날 일곱 번째로 수돗가를 찾았습니다. 물이 천천히 나오지만 서두르지 않았습니다. 소녀의 헝클어진 머리를 보면서 마당에 있는 십여 가구에게 기꺼이 물을 길어주겠다고 생각하기 시작했습니다.

황혼은 점점 더 붉어졌습니다. 온 세상이 그 색에 녹아들고, 웅크리고 앉아 있는 소녀만이 은은한 수련처럼 석양에 어두워진 빛의 실루엣으로 그려졌습니다. 적당히 졸졸 흐르는 물소리에 귀가 즐거웠을 때, 소녀는 틀림없이 청년의 열정적인 시선을 만날 수 있었습니다. 물이 세게 흐르기 시작하면 소녀는 다른 사람이 물을 길으러 왔다는 것을 알았습니다. 소녀가 물을 갈아야 할 때, 청년은 즉시 양동이를 한쪽으로 치워 소녀에게 수도를 양보해서, 소녀의 심장은 흥분해서 터질 것처럼 세게 뛰었습니다.

---

3) 중국 도시의 많은 오래된 집에는 상하수도 시설이 없었고, 종종 여러 마당의 가족이 골목 옆에 있는 공용 수도를 사용했습니다. 이제 상황은 개선되었으며 거의 모든 마당에 수도가 생겼습니다.

청년은 떠났고, 소녀는 비누 거품이 묻은 손으로 관자놀이옆 머리를 조금 정리했는데, 비누 거품이 이슬처럼 소녀의 머리에 달라붙었습니다. 청년은 날 듯이 빠르게 걸었지만 오랜 시간이 지나서야 모습이 사라졌고, 소녀는 안타까움을 느꼈습니다.

'그 가족에게 얼마나 물이 필요한가? 확실히 그 가족은 매우 크고 형제자매도 많구나. 과연 나는 그 많은 시집 형제들과 함께 화목하게 살아갈 수 있을까?'

갑자기 소녀는 얼굴을 붉히며 스스로를 꾸짖었습니다.

"내가 얼마나 부끄러운 생각을 가지고 있는지!"

수돗가로 물지게꾼이 왔고, 빨래꾼도 왔습니다. 그들은 붉은 저녁에 아무 말도 없이 만났고, 밤의 장막이 내리자 헤어졌습니다. 봄이 지나고 가을도 지나고 1년이 넘었지만 청년과 소녀는 천 번이나 눈인사를 하고도 서로 한 번도 말을 건네지 않았습니다.

이제 집마다 수도를 설치하기로 결정했고 골목 전체가 끓기 시작했습니다. 기쁜 소식에 모두가 환호하는 가운데, 소녀는 서리를 맞은 채소처럼 시들었고, 청년도 평정심을 잃었습니다. 마당에 있던 늙은 할아버지와 할머니가 청년에게 말했습니다.

"착한 아이야, 지난 몇 년 동안 우리는 너를 많이 괴롭혔구나. 이제 우리를 위해 수도가 설치되니, 물을 길어올 일이 없을거야."

청년은 마지 못해 동의했습니다.

그 소녀는 울고 싶었지만 친구들에게도 대답했습니다.

"그래, 그게 우리에게 매우 편리해…."

태양이 수평선을 향해 기울었을 때 수돗가는 철거되었고 오래된 고삼(苦蔘)만이 '폐허'에 홀로 서 있었습니다.

주민들은 '폐허'에 화단을 만들기로 결정했습니다. 말한 대로, 끝났습니다. 하루도 안되어 공사가 이미 완료되었습니다. 작업이 끝날 무렵 소녀는 끊임없이 스스로 용기를 내어 청년에게 가서 수건을 건네주었습니다. 청년은 수건으로 땀을 닦으며 소녀에게 조금 바보같이 말을 더듬었습니다.

"예전처럼 매일 여기로 옵시다."

저 멀리 집들이 붉은 저녁빛으로 물들었습니다. 청년은 마당에서 나와 물통을 들고 화단으로 왔습니다. 화단 옆에서 쉬고 있던 노인들은 웃으며 말했습니다.

"이 어리석은 놈아! 넌 정말로 늘 일할 운명이구나!"

옆에서 뜨개질하던 소녀는 웃음을 터뜨렸고, 실뭉치가 땅에 떨어져 멀리 멀리 굴러갔습니다.

미풍이 불었습니다. 화단 위의 꽃에서는 매우 기쁘게 향기가 났습니다. 사람들의 얼굴은 술에 취한 듯 붉게 달아올랐습니다.

Ĉingping

Lu Ĝu

Kvankam malgrasa, Ĉingping estis plaĉa knabineto. La patrinoj ofte distris sin per ŝi. "Ridu", kaj ŝi tuj ekridetis, tre dolĉe.

Sed neniu el ili ŝatis ŝian patrinon. Renkontante ŝin, ili ĉiam rigardis ŝin glacie — Ĉu virino bezonas plurfoje ŝanĝi siajn vestojn ĉiutage kiel ŝi? Kaj krome, ŝi jam estas patrino!

Iun tagon, kiam la patrinoj estis mamnutrantaj sian bebon, la dika Fang venis kun malgaja mieno.

"He, kio okazis al vi?"

"Ve, damninda ŝtelisto priŝtelis mian hejmon."

"Kion li forŝtelis?"

"Ĉu vi sciigis la policejon?"

El la demandoj aŭdiĝis ankaŭ vespiro kaj simpatio.

La pordkurteno estis flanken puŝita kaj envenis la patrino de Ĉingping. Fang montris al ŝi okulblankon, kvazaŭ ŝi intencus verŝi sian koleron sur ŝin. Ŝi havis altan hartuberon ornamitan per ruĝa silka banto. Rebrilis la arĝentaj ornamaĵoj sur ŝia helviola nilona robo. Ŝiaj blankaj pintkalkanumaj ŝuoj klakis sur la planko. Ŝi deprenis la sunokulvitrojn, demetis la aĵurajn gantojn, alprenis Ĉingping kaj sufoke kisadis ŝin. Mi eĉ timis, ke ŝi vundos la delikatajn vangojn de la bebo.

Kiel infanvartistino, mi admonis al ŝi, ke ŝi elpremu sian lakton, kiam ŝi ne povas veni nutri sian infanon, alie baldaŭ sekiĝos ŝia lakto. "Vidu, kiel malgrasa estas via infano." Ŝi bedaŭre ridetis. Nelonge poste, mi vidis tra la fenestro, ke ŝi ŝovis sin en oldan personaŭton kaj forveturis.

Neniu sciis, pri kio ŝi okupiĝas. La patrinoj laborantaj en butikoj kaj tramveturiloj asertis, ke ili ofte vidis ŝin, sed kelkfoje ŝi forestis plurtage de la okuloj. "Ŝi estas virino malvirta," ili ĉiuj tiel opiniis.

Iun pluvan antaŭtagmezon, la dika Fang enpaŝis kun ĝoja krio: "Solviĝis la kazo!"

"Kiel kompetentaj policanoj, nur en kelkaj tagoj ili jam solvis la kazon."

"Ĉu oni redonis ĉion ŝtelitan?"

"Jes, eĉ sendifekte. Sed oni diris, ke iu policanino vundiĝis en la persekutado de la krimulo. Policanoj diris, ke ŝi solvis multajn gravajn kazojn. Mia edzo, ho, sentaŭga, li estas eĉ nomata instruisto, tamen ploris kiel virino pro emociiĝo. . ." Sed ĉe tio ankaŭ ŝiaj okuloj ruĝiĝis.

"Ĉu mi povus eniri?" sonis obtuza kaj iom raŭka vira voĉo. La patrinoj turnis sin ordigante sian veston. Enpaŝis alta kaj bela policano kun Ĉingping en la brakoj. Transprenante la bebon mi plendis: "Vi venas tro malfrue, kaj via edzino estas tro. . ." Li konfuziĝis. Poste li turnis sin al mi kaj diris mallaŭte: "Ŝi vere ne povas veni!" "Kial?" "Ŝi estis grave vundita en la persekutado de. . ., nun mi venis de hospitalo. . ." Li penis reteni la larmojn en la okuloj, sed vane.

Ĉiuj en la ĉambro returniĝis. Fang ekploris. "Ne ĉagreniĝu. . ." mi malfacile detenis min de ploro kaj konsolis lin kvazaŭ infanon.

"Dankon." Li elpoŝigis suĉbotelon, pomojn kaj ludilan glavon. Li surmetis al si la kaskedon kun ore brila nacia emblemo. Ameme ekrigardinte Ĉingping, li foriris kun klakado de la botoj sur la planko.

Ekde tiam Ĉingping estis mamnutrata kaj karesata de ĉiuj patrinoj. Ĉiuj konkure faris por ŝi novajn vestojn. Fang montris apartan amon al ŝi, kaj mi ektimis, ke ŝia forta kisado vundos la vangojn de la bebo. Fang diris al mi, ke ŝia edzo diris al ŝi, ke "Ĉingping" estas la nomo de la plej fama glavo en la antikveco de Ĉinio. Kiel brava nomo! Kiam Ĉingping ludis per la glavo, ŝi estis tiel simila al la patrino.

칭핑

루 주

마르긴 했지만 **칭핑**은 맘에 드는 어린 여자아이였습니다. 이웃 어머니들은 자주 칭핑과 함께 즐거운 시간을 보냈습니다.

"웃어봐"

그러자 칭핑은 즉시 아주 상냥하게 미소를 지었습니다.

그러나 그들 중 누구도 칭핑의 어머니를 좋아하지 않았습니다. 칭핑의 어머니를 만나면 늘 냉랭한 눈빛으로 쳐다보았습니다. 여자가 하루에도 몇 번씩 칭핑의 엄마처럼 옷을 갈아입어야 하는 걸까? 게다가 이미 어머니인데!

어느 날, 엄마들이 아기에게 젖을 먹이고 있을 때, 뚱뚱한 **팡**이 슬픈 표정을 지으며 다가왔습니다.

"야, 무슨 일이 있었던 거야?"

"아아, 빌어먹을 도둑이 들었어요."

"무엇을 훔쳤나요?"

"경찰서에 신고했어요?"

질문에도 역시 안타까움과 아쉬움이 묻어났습니다.

문 커튼이 옆으로 밀리고 칭핑의 어머니가 들어왔습니다. 팡은 마치 분노를 쏟아부을 작정인 것처럼 칭핑의 어머니에게 눈의 흰자위를 보였습니다. 칭핑의 어머니는 붉은 비단 리본으로 장식된 머리 묶음을 하고 있었습니다. 연보라색 나일론 옷에 달린 은색 장신구가 반짝였습니다. 흰색 하이힐이 바닥에 딸깍 소리를 냈습니다. 선글라스를 벗고 투각 장갑을 벗고 칭핑을 안아 숨이 막힐 정도로 입맞추었습니다. 심지어 아기의 연약한 뺨을 다치게 할까봐 나는 두려웠습니다.

나는 아기보모로서 엄마가 아이에게 젖을 주러 올 수 없을 때 그것을 짜내라고 조언했습니다. 그렇지 않으면 젖이 곧 마르게 될 것입니다.

"아이가 얼마나 마른지 보세요."

칭핑의 어머니는 슬프게 웃었습니다. 잠시 후 나는 창문을 통해 칭핑의 어머니가 낡은 승용차를 타더니 몰고가는 것을 보았습니다.

칭핑의 어머니가 무슨 일을 하는지 아무도 몰랐습니다. 상점과 전차에서 일하는 어머니들은 자주 보았지만 때때로 며칠 동안 눈에 띄지 않았다고 주장했습니다.

"그 여자는 나쁜 여자야."

그들은 모두 그렇게 생각했습니다.

어느 날 비오는 오전, 뚱뚱한 팡이 기쁜 소리를 지르며 들어왔습니다.

"사건이 해결되었어요!"

"유능한 경찰처럼 단 며칠 만에 사건을 해결했어요."

"잃은 물건은 다 돌려받았나요?"

"예, 심지어 멀쩡해요. 하지만 범인을 쫓던 중 여경찰이 부상을 입었다고 전해 주었어요. 여경찰이 중요한 많은 사건을 해결했다고 말했어요. 아, 쓸모없는 남편은 선생님이라고 불리면서도 감정이 북받쳐 여자처럼 울었어요."

그러나 그 말에 팡의 눈시울도 붉어졌습니다.

"들어가도 될까요?"

둔하고 다소 쉰 듯한 남자 목소리가 들렸습니다. 어머니들은 옷을 정리하면서 뒤돌아봤습니다. 키가 크고 잘생긴 경찰관이 칭핑을 품에 안고 들어왔습니다.

나는 아기를 건네받으며 "너무 늦게 오셨고, 부인은 너무나…" 하고 불평했습니다.

남자는 당황했습니다. 그 뒤 나를 돌아보며 조용히 말했습니다.
"아내는 정말 올 수 없습니다!"
"왜요?"
"어떤 추격 중에 심각한 부상을 입었습니다. 지금 저는 병원에서 왔습니다."
남자는 눈에 흐르는 눈물을 참으려고 노력했지만 소용이 없었습니다.
방 안의 모두가 돌아섰습니다. 팡은 울기 시작했습니다.
"걱정하지 마세요."
나는 울음을 참지 못하고 어린아이에게 하듯 남자를 위로해주었습니다.
"감사합니다."
남자는 젖병과 사과, 장난감 칼을 꺼냈습니다. 황금빛 국가휘장이 새겨진 모자를 썼습니다. 칭핑을 사랑스럽게 쳐다본 후, 마루에 딸깍하는 구두 소리를 내며 떠났습니다.
그 이후로 모든 어머니들은 칭핑에게 우유를 먹여주고 돌보아 주었습니다. 모두 칭핑에게 새 옷을 만들어 주려고 경쟁했습니다. 팡은 아기에게 각별한 사랑을 보여줬고, 나는 팡의 강한 입맞춤이 아기의 볼에 상처를 줄까 두려웠습니다. 팡은 자기 남편이 '칭핑'이 고대 치나에서 가장 유명한 검의 이름이라고 말했다고 이야기했습니다. 참으로 용감한 이름입니다! 칭핑이 검을 가지고 놀 때는 어머니와 너무나 닮았습니다.

Semado

Gŭo Ŝinmin

Ĉirkaŭe de la konstruejo estas grandaj montoj, kaj post niaj barakoj estas legomĝardeno. Mi inerte semas en la ĝardeno. Morgaŭ ni jam translokiĝos post la plenumo de la konstruado, kaj por kio ni ankoraŭ bezonas kultivi legomojn? Sed kion fari, se la estroj tion postulas?

Tute nerimarkite, kiel ombro, min sekvas homo. Kiam mi senzorge disĵetadas la semojn, li vespiras de tempo al tempo kaj per la manoj enterigas la semojn. Hm, kial li ŝovas sian nazon en alies vazon? Sed post kelka tempo, en scivolemo, mi turnas la kapon malantaŭen kaj trovas en miro, ke tiu estas direktoro Dong de nia konstrua kompanio. La maljunulo jam decidis emeritiĝi, do kial li ankoraŭ ne foriras? Kial li ankoraŭ fiksas la okulojn sur min? Nu, mi ŝercu kun li.

"Ho, mia direktoro, vi jam decidis emeritiĝi, do kial vi ne iras hejmen, sed ankoraŭ restas en la valo kiel laborestro?" Mia konscienco atestas, ke mi diras la vortojn tute ŝerce.

Sed li tenas sin en la antaŭa pozo kaj elpoŝigas la

okulvitrojn por min rigardi. Post tio li daŭrigas sian man-erpadon por enterigi la semojn. Post longe, pugnante al si la talion kaj min rigardante, li diras: "Ni foriros, sed aliaj venos, kaj ili bezonos legomojn. Eĉ se ni mortos, aliaj restos vivaj, kaj ankaŭ ili bezonos legomojn." Post tio li denove silentiĝas.

Mi longe staras senmove kiel ŝtono. Mia prudento estas malordigita, kvazaŭ la maljunulo enpremus en mian animon semon nedeziritan. . .

씨뿌리기

구오 쉰민

공사장 주변에는 큰 산이 있고, 우리 임시막사 뒤에는 채소밭이 있습니다. 나는 타성에 젖어 밭에 씨를 뿌립니다. 공사가 완료되면 내일 우리는 이미 이사할 예정인데 왜 여전히 채소를 가꿀 필요가 있습니까? 하지만 상사가 요구하면 어떻게 해야 할까요?

전혀 눈치채지 못하게 그림자처럼 한 남자가 나를 따라옵니다. 내가 함부로 씨앗을 뿌리면 그 사람은 가끔씩 심호흡을 하고 손으로 씨앗을 묻어줍니다. 음, 왜 다른 사람의 꽃병에 코를 꽂고 있는 거죠? 그런데 잠시 후 호기심에 고개를 돌려보니 우리 건설회사 동이사였습니다. 그 노인은 이미 은퇴를 결심했는데 왜 아직도 떠나지 않는 걸까요? 그 사람은 왜 아직도 나를 쳐다보는 걸까? 글쎄, 그 사람과 농담을 해봅시다.

"아이고, 이사님, 이미 은퇴를 결정하셨는데 왜 집에 돌아가시지 않으시고, 여전히 현장 감독처럼 밭에 계시네요?"

내가 하는 말은 전혀 농담으로 한 것임을 양심이 증언합니다.

하지만 이사님은 이전 자세를 유지한 채 나를 보려고 안경을 꺼냅니다. 그 후 씨앗을 땅에 잘 심기도록 손으로 고르기를 계속합니다. 오랜 시간 뒤 허리를 치며 나를 바라보고 이렇게 말했습니다.
"우리는 떠나지만 다른 사람들은 올 것이고 그들에게는 채소가 필요할 거야. 우리가 죽어도 다른 사람들은 살아남을 것이고 그들에게도 채소가 필요해."

그 후 이사님은 다시 조용하셨습니다. 나는 오랫동안 돌처럼 가만히 서 있었습니다. 마치 그 노인이 내 영혼에 원치 않는 씨앗을 밀어넣은 것처럼 내 정신은 혼란스러웠습니다.

Strebado

Ŭang Zeĉjun

"Kio?. . ." paliĝis la mano de Jan Ŝjaŭju tenanta telefonilon. "Pli graviĝis la malsano!" Ripetante la informon el telefono, ŝi sentis sin malforta sur siaj propraj kruroj kaj tremante ŝi simple volis genuiĝi. . .

Ehe, jen la sento postulata de la maljuna reĝisoro dum ŝia prova prezentado en la filmo «Strebado»: Kiam la skulptistino en la filmo vidas, ke la artaĵoj, al kiuj ŝi dediĉis dek jarojn, estas frakasitaj, ŝi svenas kaj sentas sin kvazaŭ falanta en senfundan abismon. Jes, nun ŝi kaptis la senton postulatan. Sed nun ŝi perceptis ne la feliĉon pro la sukceso en sia arta kreado, sed nur neniam spertitan malfeliĉon. . .

Apenaŭ detenante sin de ploro kaj mordetante al si la lipojn, ŝi haste foriris postlasinte al la reĝisoro noton: "Pro ekstreme neatendita afero, mi petas permeson rezigni la provan prezentadon." En korŝira doloro ŝi forlasis la filmstudion, kiun ŝi sopiris jam en sia knabineco.

Kiel agrabla zefiro, kiel milda suno, kaj kiel delektinda printempo! Sed ĉion tion ŝi ne sentis, nun ŝi havis nur unu kategorian decidon.

La maljuna reĝisoro fine retrovis ŝin en hospitalo.

Li ne volis preterlasi tiun bonan aktorinon. Por trovi konvenan rolulon por la filmo «Strebado», li vizitis multajn lokojn, kaj fine en iu skulptejo li trovis ŝin. Ŝi havis servodaŭron de nur kelkaj jaroj, sed sub la direktado de majstro Ŭang Daĉjan ŝi jam elfaris kelkajn bonajn artaĵojn. Ŝi estas firmvola kaj persistema, kion montras ne nur ŝia karaktero, sed ankaŭ ŝia vizaĝo kaj eĉ ŝia tuta korpo. Jam en la unua prova prezentado la reĝisoro rimarkis ŝian naturdotitan talenton por aktorino.

En malsanula ĉambro la reĝisoro vidis maljunulon kuŝantan sur lito. Li estas Ŭang Daĉjan, majstro de Ŝjaŭju. Ŝjaŭju sidis ĉe la tablo apud la lito kaj estis absorbite skulptanta.

Post saluto al la majstro, la reĝisoro turnis sin al Ŝjaŭju por informiĝi, kial ŝi forlasis la provan prezentadon. Sed li vidis, ke ŝi senĉese signas al li per la okuloj. Poste ŝi elkondukis lin en koridoron.

De ŝi la maljuna reĝisoro estis informita, ke Ŭang Daĉjan suferis de kancero kaj lastatempe lia malsano abrupte graviĝis, kaj la doktoroj antaŭdiris, ke li vivos maksimume unu monaton plu. Sed la majstro ankoraŭ ne plenumis sian skulptaĵon «Flugo al la Luno»[4], kiun oni eksponos eksterlande. La artaĵo estis farita el tre rara jado, kun la luno nature formita. Ŝjaŭju decidis

---

4) "Flugo al la Luno" estas delikata skulptaĵo pri Ĉang'e en ĉina mito. Englutinte ŝtelitan senmortigan pilolon, ŝi fariĝis feino kaj flugis en la lunon.

plenumi la verkon sub la persona direktado de la majstro antaŭ lia forpaso.

Tion aŭdinte, la ĉiam aplomba reĝisoro emociiĝis kaj liaj okuloj malsekiĝis. Li komprenis la gigantan signifon de la venko de Ŝjaŭju super la allogo fariĝi filmaktorino. Li estis forironta, sed ĉe la pordo li turnis sin al Ŝjaŭju kun demando: "Kiom da tempo vi bezonos por plenumi la verkon de via majstro, ho, ne, la verkon de nia lando?"

Ŝjaŭju respondis mallaŭte: "Proksimume — se mi klopodos — 20 tagoj sufiĉas."

"Bone, mi atendas vin," kategorie diris la maljuna reĝisoro.

Flanke de la strato staris vico da konstruataj domegoj. La reĝisoro kvazaŭ vidis, ke Ŝjaŭju estas suprengrimpanta la skafaldon. Ŝajnis al li, ke la filmado de «Strebado» estas komencita, kaj Jan Ŝjaŭju ĝuste prezentas la temperamenton de la rolata skulptistino kaj modlas la rolon pli kolorriĉa kaj kortuŝa.

노력

왕 제춘

"무엇이라고?"

전화기를 들고 있는 **얀 샤우유**의 손이 하얗게 되었습니다.

"병이 더욱 심해졌다구요!"

전화로 받은 정보를 되풀이하면서 두 다리에 힘이 빠지고 떨려서 무릎을 꿇고 싶었습니다.

아, 이것이 영화 〈노력〉의 시연에서 노감독이 요구한 감정입니다. 영화 속의 여류 조각가는 자신이 10년 동안 바쳐온 예술 작품이 산산이 부서지는 것을 보고 기절하며 마치 끝없는 심연에 빠지는 것처럼 느낍니다. 예, 이제 여자는 어떤 감정을 원하는지 알았습니다. 그러나 이제 예술 창작의 성공으로 인한 행복이 아니라, 한 번도 경험하지 못한 불행만을 인식했습니다.

간신히 울음을 참으며 입술을 깨물고 감독님께 "매우 예상치 못한 일이 생겨 시연을 포기하게 되어 허락을 구합니다."라는 메모를 남기고 급히 자리를 떠났습니다. 가슴 아픈 고통 속에 어린 시절부터 동경했던 영화 스튜디오를 떠났습니다.

얼마나 상쾌한 바람인가, 얼마나 따뜻한 햇빛인가, 얼마나 기분 좋은 봄인가! 그러나 여자는 그 모든 것을 느끼지 못했고 이제 단 하나의 결정만이 남았습니다.

노감독은 결국 병원에서 그 여자를 찾았습니다.

그 좋은 여배우를 놓치고 싶지 않았습니다. 영화 〈노력〉에 어울리는 연기자를 찾기 위해 여러 곳을 돌아다니며 마침내 어느 조각 작업실에서 여자를 찾았습니다. 작업 경력은 고작 몇 년에 불과했지만, **왕다찬** 스승의 지도 하에 이미 몇 가지 훌륭한 예술 작품을 선보였습니다. 의지가 강하고 끈기가 있음을 성격은 물론, 얼굴이나 몸 전체에서 다 드러냈습니다. 이미 첫 번째 시연에서 배우의 타고난 재능을 감독은 발견했습니다.

병실에서 감독은 침대에 누워 있는 노인을 보았습니다. 샤우유의 스승 왕다찬입니다. 샤우유는 침대 옆 탁자에 앉아 조각 작업에 열중하고 있었습니다.

스승과 인사를 나눈 후 감독은 샤우유에게 왜 시연을 떠났는지 알려고 몸을 돌렸습니다. 그러나 감독은 샤우유가 끊임없이 눈짓하고 있음을 보았습니다. 그 후 샤우유는 감독을 복도로 데려갔습니다.

왕다찬이 암에 걸렸고 최근 병이 갑자기 심각해졌고 의사들은 최대 한 달이나 더 살 수 있을 것이라고 예측했음을 감독은 여자를 통해 알게 되었습니다. 그러나 스승은 해외에서 전시될 예정인 '달로의 비행[5]' 조각품을 아직 완성하지 못했습니다.

이 작품은 달이 자연적으로 형성된 매우 희귀한 옥으로 만들어졌습니다. 샤우유는 스승이 죽기 전에 스승의 개인적인 지시에 따라 작품을 완성하기로 결정했습니다.

늘 차분한 감독은 그 말을 듣고 감동이 느껴지며 눈시울이 촉촉해졌습니다. 영화배우가 되겠다는 유혹을 이겨낸 샤우유의 승리가 갖는 엄청난 의미를 이해했습니다. 감독은 떠나려고 했지만 문에서 샤우유에게 다음과 같은 질문을 던졌습니다.

"스승의 일, 아, 아니, 우리나라의 일을 완료하는 데 얼마나 걸립니까?"

샤우유는 부드럽게 대답했습니다.

"대략 - 제가 애쓴다면 - 20일이면 충분합니다."

---

5) '달로의 비행' 은 치나 신화에 나오는 창에에 관한 섬세한 조각품으로, 창에는 훔친 불멸의 알약을 삼킨 후 요정이 되어 달로 날아갔습니다.

"좋아요, 기다릴게요."

늙은 감독이 단호하게 말했습니다.

길가에는 공사 중인 큰 건물들이 줄지어 서 있었습니다. 감독은 샤우유가 비계를 오르고 있는 것을 본 것 같았습니다. 영화 〈노력〉의 촬영이 시작되어 얀 샤우유는 맡은 조각가의 기질을 정확하게 표현하고 역할을 더욱 다채롭고 감동적으로 만들고 있는 것처럼 보였습니다.

Patra Praktiko antaŭ Edziĝo

Sju Hanmej

Refoje aŭtobuso venis al la haltejo kaj la juna Ding sentis iom da streĉiteco de la nervoj. Subite sereniĝis liaj kuntiritaj brovoj kaj ekradiis lia vizaĝo. Kun rideto li iris renkonte, montrante perlajn dentojn. Sed antaŭ ol li fermis la buŝon, li abrupte haltis kun miro: Kio? Ŝi venas kun infano?

La dika infano vigle rigardis ĉiuflanken, ŝmace lekante glaciaĵon. Ding konfuziĝis. Por akiri la biletojn por la teatraĵo, li estis tiel brave alpuŝiĝinta al la giĉeto, ke maljunulo preskaŭ falis pro lia puŝo. Se ne por ŝi, li ja tute ne bezonus tiel hasti.

Sed nun la bonan ŝancon fuŝus tiu neatendita dika petola infano. Li sciis, ke ŝi dufoje ne venis al la rendevuoj ĝuste pro tiuj etuloj — jen malsaniĝis la patrino de Honghong, jen la patro dc Ningning malfruis al la vartejo pro laboro. "Nenio grava, vi ja plenumas vian devon." Ding ne estis elokventema, kaj li nur ekskuis la kapon grandanime, montrante respekton kaj komprenemon al ŝi.

Sed ĉi-foje li flamiĝis kaj estis baldaŭ eksplodonta kiel vulkano. Li firme kunpremis la lipojn kaj ĵetis al la knabo koleran rigardon.

"Liaj gepatroj ofievojaĝis aliloken, kaj mi devas prizorgi lin." Eĉ ŝia ekskuzo estis tiel belsona, kiel sonorilo, kaj ŝiaj ridetantaj okuloj estis kvazaŭ klaraj lagetoj. Kaj tial, liaj furiozaj kulpigoj fariĝis milda demando: "Ĉu, ĉu ni redonu la biletojn?" Sen bedaŭro, ŝi montris sin kvieta kiel antaŭe kaj kapjesis kun rideto. "Sed antaŭ kelkaj tagoj vi ja diris, ke eĉ en sonĝo vi aspiris rigardi la teatraĵon," pensis en si Ding rigardante ŝian senemocian vizaĝon.

Forlasinte la teatron, ili promenis sub ombrantaj arboj. La tremetantaj folioj susuris en vento spicita de aromo de floroj. Ding eksentis plezuron kaj deziris pliproksimiĝi al ŝi. Subite paro da malgrandaj manoj etendiĝis kaj malĝentile ekpuŝis lin — la dikuleto singarde rigardis lin kun flankenklinita kapo. Ding turnis la kapon al li kaj pretis alparoli lin, sed li ekkriis; "Onjo, mi volas pisi!" Hej, kia malagrablaĵo! Ding gratis al si la kapon. "Rapidu!" ekster lia atendo, ŝi ŝovis la infanon en liajn brakojn, montris la latrinon trans la strato kaj ŝovis en lian poŝon foliojn da tualeta papero. Ho, ĉielo, ĉiumatene Ding lasis la patrinon ordigi liajn litaĵojn, sed nun li devis prizorgi la knabon. Li falis en konfuziĝon ne sciante kion fari. "Rapidu!" ŝi ekpuŝis lin je la dorso kun rideto, kaj en ŝia; okuloj videblis kategoria ordonemo.

Kvazaŭ kun streĉita risorto sur la piedoj, Ding brave kuris transen portante la knabon.

Kurante, li pensis en si kun amareta rideto: "Antaŭ ol edziĝi mi jam komencas la praktikadon de patro."

결혼 전 아버지의 실습

슈 한메이

다시 한 번 버스가 정류장에 왔고 젊은 **딩**은 신경이 약간 긴장되는 것을 느꼈습니다. 갑자기 주름진 눈썹이 풀리고 얼굴이 빛났습니다. 미소를 지으며 진주빛 이빨을 드러내며 만나러 갔습니다. 그러나 입을 다물기도 전에 갑자기 궁금해하며 말을 멈췄습니다. 뭐라고요? 그 사람이 아이를 데리고 오나요?

뚱뚱한 아이는 아이스크림을 쩝쩝 소리를 내서 핥으며 활기차게 사방을 두리번거렸습니다. 딩은 당황했습니다. 연극 티켓을 받으려고 매표소를 너무 용감하게 밀었기 때문에 한 노인이 밀려 떨어질 뻔했습니다. 여자가 아니었다면 이렇게 서두를 필요가 없었을 것입니다.

그러나 이제 그 좋은 기회는 예상치 못한 뚱뚱하고 장난꾸러기 아이 때문에 망가질 것입니다. 딩은 여자가 그 작은 아이들 때문에 약속 장소에 두 번이나 오지 않았다는 것을 알고 있었습니다. 한 번은 **훙훙**의 어머니가 아프셨고, 한 번은 **닝닝**의 아버지가 일 때문에 어린이집에 늦었습니다.

"별거 아니야, 넌 네 의무를 다하고 있는 거야."

딩은 말을 잘 하지 못했고 존경과 이해를 표시하면서 넓은 마음으로 고개만 크게 흔들었습니다.

그런데 이번에는 불이 붙었고 화산처럼 폭발할 뻔했습니다. 입술을 꽉 깨물고 소년에게 화난 표정을 지었습니다.

"부모님이 다른 곳으로 출장을 가셨기 때문에 제가 돌봐야 해요.”

여자의 변명마저도 종처럼 아름다웠고, 웃는 눈은 맑은 웅덩이 같았습니다. 그래서 맹렬한 비난은 “티켓을 반환해야 할까요?” 라는 부드러운 질문으로 바뀌었습니다. 여자는 아쉬움도 없이 예전처럼 조용한 모습으로 미소을 지으며 고개를 끄덕였습니다.

‘하지만 며칠 전 당신은 꿈에서도 연극을 보고 싶다고 말했지.’ 딩은 여자의 감정 없는 얼굴을 바라보며 혼자 생각했습니다.

극장을 떠난 후 그들은 그늘진 나무 아래를 걸었습니다. 떨리는 나뭇잎이 꽃향기 가득한 바람에 바스락거렸습니다. 딩은 기쁨을 느껴 여자에게 더 가까이 다가가고 싶었습니다. 갑자기 한 쌍의 작은 손이 무례하게 밀고 들어왔습니다. 작고 뚱뚱한 어린 아이는 머리를 한쪽으로 기울인 채 조심스럽게 딩을 바라보았습니다. 딩은 고개를 돌려 아이에게 말을 하려고 했지만 아이는 소리를 지르기 시작했습니다.

“이모, 나 오줌 싸고 싶어!”

아이고, 얼마나 귀찮은 일이야! 딩은 머리를 긁적였습니다.

“서둘러요!”

기대 밖으로 여자는 아이를 딩의 품에 안기고 길 건너편 공중화장실을 가리키며 딩의 주머니에 화장지를 밀어 넣었습니다. 맙소사, 매일 아침 딩은 어머니께 침구 정리를 맡겼지만 지금은 그 아이를 돌봐야 했습니다. 무엇을 해야 할지 몰라 혼란에 빠졌습니다.

“서둘러요!”

여자는 미소를 지으며 딩을 등뒤에서 밀었습니다. 단호한 명령이 눈에 보였습니다.

마치 발이 팽팽해진 것처럼 딩은 아이를 안고 건너편으로 용감하게 달려갔습니다.

달리면서 딩은 씁쓸한 미소를 지으며 ‘나는 결혼하기 전에 벌써 아버지로서의 실습을 시작하고 있다.’ 고 생각했습니다.

Nova Bofilino

Ĉiŭsŭo

En malgranda kvadrata korto[6] loĝis la familioj de Ĝang kaj Li, misharmonie inter si. Ili de tempo al tempo kverelis pro bagateloj.

Ĉi-printempe, en krakado de petardoj, venis en la korton nova membro —Ŝiŭĝjŭan, bofilino de Onklino Ĝang. Ŝi estas ne nur belaspekta, sed ankaŭ diligenta. Reveninte de laboro, ŝi tuj komencis helpi la bopatrinon fari dommastrumadon. Onklino Ĝang dronis en ĝojo pro la nova bofilino.

Vidu, frumatene en dimanĉo, Ŝiŭĝjŭan jam komencis lavi vestojn en la korto zumante gajan melodion.

"Plaŭ!" Frato Li elverŝis el sia ĉambro pelvon da eluzita akvo, kaj tuj de sur la polvoplena korto leviĝis sennombraj kotaj akveroj, el kiuj iuj falis sur la vestojn de Ŝiŭĝjŭan. "Oj," ŝi ekkriis, kaj ŝia bopatrino tuj pafiĝis el la ĉambro. Vidinte sian karan bofilinon ofendita, ŝi tuj flamiĝis. Ŝi levis la kapon kaj riproĉis per altigita voĉo: "Kiel impertinenta vi ja estas! Ĉu viaj

6) Kvadrata korto estas de ĉina tradicia arkitekturo de loĝdomoj. La korto estas kvarflanke kadrita per domoj kun pordoj kaj fenestroj al la korto. Ĝenerale en tia korto loĝas pluraj familioj.

okuloj ne bone funkciis eĉ en hela tago, kiam vi verŝis la akvon? Ĉu decas konduti tiel krude?. . ." Ŝi ruĝiĝis de kolero, sed ĉi-foje Frato Li restis silenta en sia ĉambro. Tiam Ŝiŭĝjŭan milde retenis sian bopatrinon: "Panjo, ne koleru, la makuloj malaperos post sekiĝo. . ." Tion dirante, ŝi frapis al si la vestojn kaj puŝis sian bopatrinon en la hejmon.

Kvietiĝis la malagrabla incidento. Kiam Ŝiŭĝjŭan daŭrigis sian vestolavadon, Frato Li elpaŝis el la korto, zumante nemelodian melodion.

Pasis ĉirkaŭ duonhoro, kaj karboportisto envenis en la korton kaj laŭte demandis: "Kiu en la korto mendis karbon?" "Neniu," malafable respondis Onklino Ĝang en sia ĉambro. "Ha, strange. Mi klare memoras, ke iu el via korto mendis karbon. . ." Grumblante la junulo eliris el la pordo.

"He, kamarado, atendu." Haltigite de Ŝiŭĝjŭan, la junulo returnis sin en la korton. Montrante la ĉambron de Frato Li, Ŝiŭĝjŭan diris: "Tiu familio mendis karbon. Hodiaŭ matene mi aŭdis la mendon. Sed nun neniu estas hejme, bonvolu meti la karbon ekster la domo."

La karboportisto rapide malŝarĝis la ĉaron. Li akceptis de Ŝiŭĝjŭan 10 jŭan-ojn, kiujn ŝi prenis el sia hejmo, kaj forpasis el la korto.

Ŝiŭĝjŭan ĵetis rigardon al la stoko da karbocilindroj[7], kaj ekbrilis ŝiaj okuloj. Ŝi klinis sin kaj bonorde vicigis la karbocilindrojn sub la tegmentrandon. Kiam ŝi, tion

---

7) Karbocilindro estas farita el karbopulvoro kaj argilo proporcie miksitaj, kun truoj ene por tralasi aeron dum brulado.

plenuminte, rektigis sin kaj faris longan elspiron, revenis Frato Li kun retsako da fiŝoj. Aŭdinte lian paŝadon, Ŝiuĝjŭan returnis sin kaj trovis sin vid-al-vide kun Frato Li. Frato Li fiksis sian rigardon sur la amason da karbocilindroj kaj montris embarasiĝon, kvazaŭ pekinta infano. Li ruĝiĝis kaj murmure diris al ŝi post longa silento: "Multajn dankojn. . . mi iris aĉeti legomojn kaj vidis, ke oni vendas fiŝojn, mi do vicatendis longan tempon kaj forgesis, ke hodiaŭ oni portos al mi karbon."

La printempa zefiro portis al la korto senliman viglecon, ke ankaŭ la birdetoj ĝoje pepadis. Paciĝis la familioj de Ĝang kaj Li. Rideksplodoj de tempo al tempo aŭdiĝas en la korto. . .

새 며느리

치우쉬

작은 정사각형 마당[8]에서 **장**씨와 **리**씨 가족은 서로 불화하며 살았습니다. 그들은 사소한 일로 때때로 다투었습니다.

올 봄, 폭죽이 터지는 가운데 새로운 가족이 마당에 들어 왔습니다. 바로 장 이모의 며느리 **쉬우쥬안**입니다. 쉬우쥬안은 예쁘게 생겼을 뿐만 아니라 부지런합니다. 퇴근 후 곧바로 시어머니의 집안일을 돕기 시작했습니다. 장 이모는 새 며느리를 맞이한 기쁨에 빠져 있었습니다.

보세요. 일요일 이른 아침, 쉬우쥬안은 이미 마당에서 쾌활한 노래를 흥얼거리며 빨래를 시작했습니다.

"촥!"

리 형제는 자신의 방에서 한 대야의 물을 쏟아냈고 먼지가 자욱한 마당에서 즉시 수많은 흙탕물이 솟아 올랐으며 그 중 일부는 쉬우쥬안의 옷에 떨어졌습니다.

"아," 하고 소리치자, 시어머니는 즉시 방에서 화살처럼 뛰쳐나왔습니다. 사랑하는 며느리가 애먼 일을 당하자 즉시 열이 났습니다. 고개를 쳐들고 큰 소리로 꾸짖었습니다.

"참으로 뻔뻔한 분이군요! 밝은 날에도 물을 쏟아낼 때 눈이 잘 보이지 않았나요? 그렇게 무례하게 행동하는 것이 적절합니까?"

---

8) 정사각형 마당은 치나 전통 주거용 건축물에서 보입니다. 마당으로 향하는 문과 창문이 있는 집들로 4면이 둘러싸여 있습니다. 일반적으로 그러한 마당에는 여러 가족이 살고 있습니다.

화가 나서 얼굴이 붉어지자 반대로 지금 리 형제는 방에서 침묵을 지켰습니다. 그때 쉬우쥬안은 시어머니를 부드럽게 제지했습니다.

"엄마, 화 내지 마세요. 얼룩은 마르면 사라져요."

이렇게 말하면서 옷을 두드려 털고 시어머니를 집안으로 밀어 넣었습니다.

불쾌한 사건은 가라 앉았습니다. 쉬우쥬안이 빨래를 계속하는 동안 리 형제는 좋지 않은 노래를 흥얼거리며 마당에서 나갔습니다.

30분 정도 지났을 때 연탄 짐꾼이 마당으로 들어와 큰 소리로 물었습니다.

"마당에서 연탄을 주문한 사람은 누구입니까?"

"아무도 없어요."

장 이모가 자기 방에서 퉁명스럽게 대답했습니다.

"아, 이상하네. 이 마당에서 석탄을 주문한 누군가를 분명히 기억하는데…."

투덜대며 청년은 문을 나갔습니다.

"이봐, 동무, 잠깐만요."

쉬우쥬안에 의해 멈춰선 청년은 다시 마당으로 돌아섰습니다. 쉬우쥬안은 리 형제의 방을 가리키며 이렇게 말했습니다.

"그 가족이 연탄을 주문했어요. 오늘 아침에 그 주문을 들었어요. 그런데 지금은 집에 아무도 없으니 석탄을 집 밖에 놓아주세요."

연탄 짐꾼은 재빨리 수레를 내렸습니다. 쉬우쥬안이 자기 집에서 가져온 10 위안을 주자 짐꾼은 받고 마당에서 나갔습니다.

쉬우쥬안은 연탄[9] 무더기를 힐끗 보더니 눈을 반짝거렸습니다. 몸을 굽혀 연탄을 지붕 가장자리 아래에 깔끔하게 정렬했습니다. 이 일을 마치고 몸을 펴고 긴 숨을 내쉬었을 때, 리 형제는 물고기가 담긴 그물 부대를 가지고 돌아왔습니다. 발소리를 듣고 쉬우쥬

9) 연탄은 석탄 가루와 점토를 비율로 혼합하여 만들어졌으며 연소 중에 공기가 통과할 수 있도록 내부에 구멍이 있습니다.

안이 뒤를 돌아보니 리 형제와 마주하게 되었습니다. 리 형제는 연탄 더미를 바라보며 마치 죄를 지은 어린아이처럼 당황스러운 표정을 지었습니다. 오랜 침묵 끝에 얼굴을 붉히며 쉬우쥬안에게 중얼거렸습니다:

"정말 감사합니다. 야채를 사러 갔다가 생선을 파는 걸 보고 오랫동안 줄을 서서 기다렸는데 오늘 연탄을 가져다준다는 걸 깜빡했어요."

봄바람이 마당에 한없는 생명력을 불어넣어 작은 새들마저도 즐겁게 지저귀게 만들었습니다. 장씨와 리씨 가족은 평화를 이루었습니다. 마당에서는 가끔씩 웃음소리가 들립니다.

Petolulo Erbulen

Feng Ĉjŭanŝeng

Kiam la mintrajno eniris en la ĉefgalerion, mi ŝovis la harojn sub la kaskon kaj apogis min sur la varma korbo de manĝoskatoloj. Resonis ĉe miaj oreloj la glaciaj babiloj de miaj kamaradinoj.

"Hm! Oni abomenas mencii "karbon", sed ŝi, male, mem iniciate prenis sur sin la laboron porti manĝoskatolojn en la galerion!" "Sen gustumi mustardon, oni ne povas percepti ĝian akrecon. Ŝi iru en la 9-an prifosejon, sole Erbulen jam sufiĉas por plorigi ŝin tri tagojn."

Kiu estas Erbulen? Mi unuafoje venis al la minejo kaj ne konis la homon. Por atingi la 9-an prifosejon oni devas iri kelkan distancon post forlaso de trajno. Kun la korbo plena de manĝoskatoloj sur la dorso, mi iris malfacile: Jen la kasko frapiĝis kontraŭ la plafono, jen mi stumblis sur ŝtala kablo. Sed mi ja estas obstina.

"Hej," postdorse ektondris kriego, kiu teruris min. Mi tute ne rimarkis, ke post mi iras nigra junulo kun trabo sur la ŝultro. Flankenpuŝinte min, li grumblis: "Bona ĉevalo ne haltas en vojmezo." Li iris antaŭen kun kurbigita dorso. Mi ĵetis al li koleran rigardon, sed nenion diris. Mi devis paroli kiel eble plej malmulte, ĉar mi ne volis lasi aliajn rekoni, ke mi estas knabino.

"Venas al ni la manĝo," iu ekkriis, kiam mi aperis en la fosejo. La korbon sturmis grupo da ministoj kun tute nigra vizaĝo. Antaŭ ol mi disdonis la manĝoskatolojn, ili mem prenis po unu kaj ekmanĝegis. Ĝuste kiam mi pretis iom ripozi, iu ekkriis: "Mankas al mi unu pano!" Estis voĉo de la junulo, kiun mi vidis en la galerio. Vere la panoj en lia skatolo estis malpli multaj ol en aliaj manĝoskatoloj. "Ĉu vi ĝin ŝtelis?" li demandis min kun vangoj ŝvelintaj. Strange, mi ja persone pretigis la skatolojn, metante en ĉiun skatolon tri panojn kaj du kuleregojn da stufitaj viandaĵoj. Nun iuj klinis sin super sian manĝoskatolon, kaj aliaj grimacis, dum la junulo iom malfermis la buŝon kun ŝajna rideto sur la vangoj. Subite li sputis duonon da paneto.

Ĉiuj eksplodis de ridego.

"Via ŝerco estas tro kruda," mi indigniĝis.

"Ej, kiel vi parolas en virina voĉo?" li apenaŭ ne malkaŝis mian sekreton. "Nu, ĉu via voĉo ŝanĝiĝis pro tro longa restado inter la knabinoj en la kuirejo?"

Aŭdu, kiaj frivolaĵoj. Sajne miaj kamaradinoj diris prave. Se estus ekster la ŝakto, mi certe insultus lin kaj dirus, ke li restu fraŭlo dum la tuta vivo. Nun mi ne volis resti tie unu minuton plu. Mi kolektis la manĝoskatolojn kaj haste forlasis la fosejon. "Flanken, ne tro hastu al via bongusta manĝo." Ho, min sekvis denove la bruska junulo. Nu, lasu liajn ironiojn forportitaj de vento. Mi iradis kun mallevita kapo. Ia bruo pli kaj pli proksimiĝis al mi. Subite la junulo ekkriegis el la tuta gorĝo: "Flanken!" Mi levis la kapon kaj vidis ion nigran kaj gigantan alkuranta. Antaŭ ol mi konsciis pri la okazaĵo, mi estis flankenpuŝita for de la reloj.

Min preterpasis kun bruego mintrajno plenŝarĝita per ŝtalaj fostoj. Por savi min, la junulo mem falis en kavon plenan de akvo. Tramalsekiĝis lia vesto kaj ŝiriĝis lia pantalono. Ĝuste kiam mi deziris diri "dankon", oni lin vokis: "Erbulen!"

"Jes!" la nigra junulo surŝultrigis trabon kaj ventorapide kuris al la fosejo. Jen Erbulen, ofte priparolata de miaj kamaradinoj! Rigardante al lia dorso kaj lia ŝirita pantalono, mi eksentis honton. Kaj. . . mi decidis nepre reveni al la 9-a fosejo venontfoje.

에르불렌 장난꾸러기

펑 취안쉥

광산열차가 주갱도(坑道)에 들어서자 나는 헬멧 아래로 머리카락을 집어넣고 따뜻한 도시락 바구니에 몸을 기댔습니다. 여자동료의 싸늘한 수다소리가 귓가에 울렸습니다.

"흠! 사람들은 '석탄' 이라는 말을 언급하기도 싫어하는데, 오히려 여자가 주도적으로 도시락을 갱도로 들고 가는 수고를 한 거죠!"

"겨자를 맛보지 않고는 그 매운 맛을 느낄 수 없어. 여자가 9번 채굴장으로 가야지, **에르불렌**만으로도 3일 동안 여자를 울게 만들 수 있어!"

에르불렌은 누구인가? 광산에 처음 왔는데 그 사람을 몰랐습니다. 9번 채굴장에 가려면 열차에서 내린 후 약간의 거리를 걸어야 합니다. 도시락이 가득 담긴 바구니를 등에 지고 힘들게 걸었습니다. 여기서 헬멧이 천장에 부딪혔고, 저기서 강철 선들에 걸려 넘어졌습니다. 하지만 나는 고집이 셉니다.

"야,!"

뒤에서 겁을 주는 비명소리가 천둥처럼 들렸습니다. 나는 어깨에 들보를 메고 있는 흑인 청년이 등뒤에서 걷고 있다는 것을 전혀 눈치채지 못했습니다. 청년은 나를 옆으로 밀면서 "좋은 말은 길 한가운데에 멈추지 않는다!" 고 투덜댔습니다. 청년은 허리를 구부린 채 앞으로 걸어갔습니다. 나는 청년에게 화난 표정을 지었지만 아무 말도 하지 않았습니다. 내가 여자라는 사실을 다른 사람들이 알도록 하고 싶지 않았기에 가능한 한 말을 적게 해야 했습니다.

내가 채굴장에 들어서자 누군가가 "음식이 오고 있다." 고 소리쳤습니다. 완전히 까만 얼굴의 광부들이 바구니를 채듯 가져갔습니다. 내가 도시락을 나눠주기도 전에 그들은 하나씩 가져가서 먹기 시작했습니다. 잠시 쉬려고 할 때 누군가가 소리쳤습니다.

"빵 한 덩이가 빠졌어!!"

갱도에서 본 청년의 목소리였습니다. 사실, 그 상자에 들어 있는 빵은 다른 도시락에 들어 있는 빵보다 개수가 적었습니다.

"훔쳤냐!"

청년은 빵을 불룩하게 한 채 나에게 물었습니다. 이상하다. 도시락은 빵 세 덩이와 고기 조림 두 덩어리를 넣어 내가 직접 준비했는데. 지금 도시락 위로 몸을 숙인 사람도 있고, 얼굴을 찡그리는 사람도 있었는데, 청년은 빵에 미소를 지은 채 살짝 입을 열었습니다. 갑자기 청년은 빵 반 덩어리를 내뱉었습니다.

모두가 웃음을 터뜨렸습니다.

"농담이 너무 심해요."

나는 화가 났습니다.

"야, 어떻게 너는 목소리가 여자같니?"

청년은 내 비밀을 거의 밝히지 않았습니다.

"글쎄, 부엌에서 여자들과 너무 오랫동안 함께 있어서 목소리가 바뀌었나?"

들어보세요. 얼마나 시시한가! 물론 내 친구들의 말이 옳은 듯했습니다. 갱에서 나왔다면 반드시 그 청년에게 욕하고 평생 독신으로 지내라고 했을 겁니다. 이제 나는 그곳에 단 1분도 더 머물고 싶지 않았습니다. 나는 도시락을 모아 서둘러 채굴장을 떠났습니다.

"옆으로 가, 맛있는 식사를 너무 서두르게 하지 마!"

아, 또 무뚝뚝한 청년이 나를 따라왔습니다. 글쎄, 청년의 비꼬는 소리를 바람에 날려 버려야지. 나는 고개를 숙인 채 걸었습니다. 어떤 종류의 소음이 나에게 점점 더 가까워졌습니다. 갑자기 청년이 큰 소리로 "옆으로!" 라고 외쳤습니다. 머리를 들어 검고 거대한 무언가가 달려오는 것을 보았습니다. 무슨 일인지 알기도 전에 나는 철로에서 멀리 밀려나갔습니다.

쇠 기둥을 가득 실은 광산 열차가 굉음과 함께 나를 지나쳤습니다. 나를 구하기 위해 그 청년 자신도 물이 가득한 구덩이에 빠졌습니다. 옷은 젖었고 바지는 찢어졌습니다. 내가 "고마워요!" 라고 말하고 싶을 때 사람들이 청년을 "에르불렌!" 이라고 불렀습니다.

"예!"

흑인 청년은 들보를 어깨에 메고 바람처럼 빠르게 채굴장을 향해 달려갔습니다. 여자 동료들이 자주 얘기하는 에르불렌입니다! 그 사람의 뒷모습과 찢어진 바지를 보니 부끄러웠습니다. 그리고… 다음엔 꼭 9번 채굴장에 다시 가리라 결심했습니다.

Nebulo

Cen Gŭokaj

Frua mateno. Peza nebulo.

La boskoj, la bambuaroj, la florbedoj, la gazonoj. . . , ĉio en la parko estis vualita de peza nebulo. La nebulo stagnis super la lago kvazaŭ kotono. Ho, kiel peza nebulo?

Sed por la geamantoj tio ne estas nebulo, sed kvazaŭ unua neĝo kristale brila kaj varmeta, kvazaŭ sennombraj fadenoj kunligantaj la du ardajn korojn.

La fadenoj netondeblaj fariĝis pli implikaj.

Malrapide paŝis juna paro. La junulo estis bela, kaj la junulino ĉarma — rutina priskribo en romanoj.

La junulino estis tre vigla. Ŝi flankenpuŝadis la nebulon per la mano kun gaja humoro. Ŝiaj ridoj flugis en la nebulon, kaj la nebulo ĝoje ektremetis.

La junulo malfermis la buŝon, kaj bulo da nebulo rapide sin puŝis en lian buŝon kaj poste elflugis kune kun lia spiro, kiam li ekparolis:

"Ŝjaŭping, mi sciigu al vi ĝojigan novaĵon."

"De kie vi akiris tiel multe da novaĵoj?" ridklukis la junulino.

"Mi ne ŝercas kun vi!" La junulo estis malkontenta

pri ŝia frivoleta rido. Ŝi ne devus ridi tiamaniere. Per malaltigita voĉo li diris dignoplene: "Mi estis promociita kiel vicestro de la laborejo."

"Ĉu vere?"

"Ĉu mi iam trompis vin? La promocio estis deklarita hieraŭ."

Silento anstataŭis la ridon.

"Kiel mi nomu vin estonte? Ĉu 'Estro Ĝang' aŭ Cajĉjo?"

"Private, vi sendube povas nomi min Cajĉjo, sed antaŭ la publiko, vi prefere nomu min same kiel la aliaj."

"Do 'Estro Ĝang'?"

"Jes."

Denove silento.

"Kaj cetere, vi devas zorgi pri via konduto en la laborejo. Ne estu tiel frivola kaj ŝercema. Ĉu vi aŭdas? Kaj plie, vi devas vesti vin pli modeste, alie estiĝos klaĉoj pri vi. Hieraŭ vi venigis Liŭ por ripari la veldmaŝinon, vi pugnis lin je la dorso. Ĉu decas tiamaniere petoli kun junulo? Gardu vian konduton. . ."

Silento. Tute malaperis la rido. La peza nebulo envolvis ŝin kiel reto. Ho, kiel peza nebulo!

안개

쩬 구오카이

이른 아침. 짙은 안개.

숲, 대나무 숲, 화단, 잔디밭…. 공원의 모든 것이 짙은 안개에 싸여있습니다. 안개가 솜처럼 호수 위에 정체되었습니다. 아, 안개가 얼마나 짙습니까?

그러나 연인들에게 이것은 안개가 아니라 보석같이 빛나는 첫 눈 같고, 불타는 두 마음을 연결하는 수많은 실처럼 따뜻합니다.

자를 수 없는 실이 더 엉키게 되었습니다.

젊은이 한 쌍이 천천히 걷고 있습니다. 청년은 잘생겼고, 젊은 여성은 매력적이었습니다. 이것은 소설에서 흔히 볼 수 있는 묘사입니다.

젊은 여자는 매우 활기가 넘쳤습니다. 기분 좋게 손으로 안개를 밀어냈습니다. 웃음소리는 안개 속으로 날아갔고, 안개는 기쁨으로 떨었습니다.

청년이 입을 열어 말하기를 시작하자 안개 뭉치가 재빨리 입 속으로 들어가더니 내쉬는 숨을 따라 날아갔습니다.

"**샤우핑** 씨, 좋은 소식을 알려드릴게요."

"그 많은 소식을 어디서 얻었나요?"

젊은 여자는 낄낄거렸습니다.

"농담하는 게 아니예요!"

청년은 여자의 경박한 웃음에 불쾌했습니다. 그렇게 웃어서는 안 되거든요. 청년은 낮은 목소리로 "나는 작업장 부반장으로 승진했어요." 라고 위엄있게 말했습니다.

"정말요?"

"내가 당신을 속인 적이 있나요? 어제 승진이 발표되었어요."

침묵이 웃음을 대신했습니다.

"앞으로 뭐라고 불러야 하죠? '장 반장' 아니면, **차이치**인가요?"

"사적으로는 나를 차이치라고 불러도 되지만, 대중 앞에서는 다른 사람들과 똑같이 불러주는 게 좋을 것 같아요."

"그럼 '장 반장'이요?"

"예."

다시 침묵.

"그리고 작업장에서는 행동도 조심해야 해요. 너무 가볍게 농담하지 마세요. 듣고 있나요. 더욱이, 더 검소하게 옷을 입어야 해요. 그렇지 않으면 나쁜 소문이 생길 거예요. 어제 용접기를 고치려고 류를 데려왔고 등을 주먹으로 때렸어요. 이런 식으로 젊은 남자와 장난치는 것이 적절한가요? 행동을 조심하세요."

침묵. 웃음이 완전히 사라졌습니다. 짙은 안개가 그물처럼 여자를 감쌌습니다. 아, 정말 짙은 안개군요!

La Roluloj

Su Ŝjangŝin

"Sonĝo estas reva lando de espero", la diro estas prava. Do kion Ĉinĉin esperis en sia sonĝo? Ŝi vidis en la sonĝo tion, ke Ĝenŝju suferas unue de dentodoloro, poste de parotidito, afto, hipertiroidismo, tiko, . . . kaj fine de stranga seniliĝo, ke la ĉarmaj kavetoj sur ŝiaj vangoj malheliĝas, kaj sulkoj kaj maljunulaj makuloj plene kovris ŝian vizaĝon. Kompreneble aktorino kun tia vizaĝo tute ne taŭgas por roli la junan kaj ĉarman sekretariinon en la teatraĵo, kaj por Ĝenŝju la plej konvena loko estas hospitalo. Laŭ la eterna leĝo de la naturo pri metabolo, Ĉinĉin nun ne estas rolulo B, sed rolulo A. . .

Sed ĉu tio estis la espero de Ĉinĉin? Ĉu tio estis la eskalo de ŝi starigita por atingi la celon? Subite malvarmo trakuris tra ŝia korpo. Sed ŝi ekridetis pretervole, kiam ŝi staris antaŭ la reĝisoro kaj dekoj da kolegoj en la provluda halo kaj vidis, ke ŝia rivalo preparas sin por la provludo starante apude kun la scenaro en la mano. Vidu, ŝi ja estas kvardekses- aŭ kvardek-sep-jara. Pudro povas helpi ŝin kaŝi la sulketojn sur sia frunto, sed la memorkapablo ŝin perfidas. Sed ŝi, Ĉinĉin, en malpli ol duonhoro jam povis reciti la vortojn de la rolo, kaj cetere ŝi estis direktata de fama aktoro. Eĉ ŝia majstro admiris ŝian memoron.

Ĝenŝju provludis la unua. Ĉinĉin atente rigardis kaj povis trovi nenion kritikeblan. Sed kiam la rolita sekretariino devis danci "diskon", Ĝenŝju montris sin nelerta en la rolo, ĉar ŝi jam estas patrino. La prezentado de Ĉinĉin rikoltis mallaŭtan aklamon, kaj iu eĉ asertis, ke ŝi ludis tiel bele, kiel la stelulino de iu teatro. Lia juĝo estis trafa. Ĉinĉin vere admiris la stelulinon kaj surbendigis ĉiujn ŝiajn prezentadojn kaj rezulte de tio ŝi preskaŭ povis prezenti same kiel la stelulino. Sed la reĝisoro kuntiris la brovojn: "Tro perfekta imitado ja signifas la perdon de originaleco!"

Sed post du tagoj la reĝisoro sciigis ŝin, ke ŝi ludu kiel A-rolulo, dum Ĝenŝju kiel B-rolulo. En venko ŝi ekhavis kompaton por la malsukcesinto. La kompato kun enmiksita memriproĉo tajde frapadis ŝian koron. Ŝi devis kvietigi sin per sia arda aspiro en la kariero. Sed kiam ŝi informiĝis de la reĝisoro, ke Ĝenŝju mem proponis esti la rolulo B, ŝi ne povis teni sin en trankvilo plu. Ŝi iris al Ĝenŝju. Sed tiu ridetis kaj milde diris: "Ne ĝenu vin per tio. Ĉu ni farus ĉion ĉi ne por la kolektivo, sed nur por individuaj interesoj?"

Ĉinĉin klinis la kapon. Ĝenŝju varme ekprenis ŝian brakon kaj diris al ŝi kun rideto: "Sendube tio ne estas facila. Estas malfacile ludi la rolon en la teatraĵo, sed pli malfacile estas ludi la rolon de alia speco, la rolon en la vivo, kiun ni ĉiuj ludas ĉiam kaj ĉie. Oni povas bone ludi la rolon en la teatraĵo, nur kiam oni bone ludas la rolon en la vivo."

배역

수 샹신

'꿈은 희망의 공상나라'라는 말이 맞습니다. 그렇다면 **친친**은 꿈에서 무엇을 바랐던 걸까요? 친친은 꿈에서 젠슈가 처음에는 치통을 앓았고 그 다음에는 이하선염, 아구창, 갑상선 기능 항진증, 틱 등으로 고통받고 있는 것을 보았습니다. 그리고 이상한 노망의 끝에 뺨에 있던 매력적인 보조개가 어두워지고 주름과 검버섯이 얼굴을 완전히 덮었습니다. 물론, 그런 얼굴을 가진 여배우는 극중 젊고 매력적인 비서 역할을 하기에는 전혀 적합하지 않으며, **젠슈**에게 가장 적합한 곳은 병원입니다. 자연의 영원한 신진대사 법칙에 따라 친친은 이제 B 배역이 아닌 A 배역이 되었습니다. .

하지만 그것이 친친의 희망이었을까요? 그것이 목표를 달성하기 위해 설정한 척도였나요? 갑자기 몸에 오한이 났습니다. 하지만 시험무대에서 감독과 수십 명의 동료 앞에 섰고, 근처에 대본을 손에 들고 시연을 준비하는 경쟁자가 서있는 모습을 보자 친친은 자기도 모르게 미소를 지었습니다. 보세요, 친친은 정말 46세나 47세입니다. 분 바르기가 이마의 주름을 숨기는 데 도움이 되지만 기억력은 약해집니다. 하지만 친친은 30분도 안 돼서 배역의 대사를 외울 수 있었고, 게다가 유명 배우의 지도를 받았습니다. 그 스승조차도 그런 기억력을 칭찬했습니다.

젠슈가 먼저 시연을 했습니다. 친친은 주의 깊게 살펴 보았고 비판할 점을 찾을 수 없었습니다. 그러나 배역인 여비서가 '디스코' 춤을 추어야했을 때 젠슈는 이미 어머니이기 때문에 그 역할에

무능함을 보여주었습니다. 친친의 연기는 조용히 호평을 받았고, 어떤 사람은 어느 연극의 유명여배우 못지않게 아름답게 연기했다고 주장하기도 했습니다. 그 판단은 적절했습니다. 친친은 그 유명여배우를 정말 존경했고 여배우의 모든 공연을 녹화했고 그 결과 그 여배우처럼 거의 연기할 수 있었습니다. 그러나 감독은 눈살을 찌푸렸습니다.

"너무 완벽한 모방은 독창성을 잃는다는 뜻이야!"

그런데 이틀 뒤 감독님이 A 배역을 하라고 친친에게 알려주면서, 젠슈에게는 B 배역을 맡겼습니다. 승리했지만 친친은 패자에 대한 연민을 느꼈습니다. 연민과 뒤섞인 자책이 파도처럼 마음을 때렸습니다. 경력에 대한 불타는 열망으로 자신을 진정시켜야했습니다. 하지만 젠슈 자신이 B 배역을 제안했다는 감독의 말을 듣고 친친은 더 이상 침착할 수 없었습니다. 젠슈에게 갔습니다. 하지만 젠슈는 웃으며 부드럽게 말했습니다.

"이 일로 걱정하지 마세요. 이 모든 일을 집단을 위해서가 아니라 개인의 이익을 위해서만 할 건가요?"

친친은 고개를 숙였습니다. 젠슈는 친친의 팔을 따뜻하게 잡고 미소를 지으며 말했습니다.

"물론 쉽지 않지요. 연극에서 역할을 수행하는 것은 어렵지만 다른 종류의 역할, 즉 우리 모두가 언제 어디서나 수행하는 삶의 역할을 수행하는 것은 더 어렵죠. 인생에서도 역할을 잘 해야 극에서도 역할을 잘 할 수 있어요."

Cervo-fluto

Gang Ĝingli

"Blek, blek, blek. . ." de tempo al tempo cervo-blekado flugis en la tendojn de prospektoroj. Juna ĉasisto Gorli fulmrapide leviĝis de sur la pajla matraco. Al li ŝajnis, ke blekas sovaĝa cervo, kiu forlasis sian herdon. Nun ja estas la sezono de detranĉado de junkornoj de cervoj. "Ha, ha, se mi kaptus ĝin. . ."

Kaj samtempe la cervoblekado flugigis lian ekscititan koron al la cervobredejo ĉe Hongliŭtan, kie laboras kvieta kaj ĉarma knabino Molina. Gorli ofte iris al la bredejo dum certa periodo kaj helpis ŝin fari tion kaj ĉi tion, kun la celo sin plaĉigi al ŝi. lun tagon, cervo senĉese sangis je la kapo, post kiam oni detranĉis ĝiajn junkornojn. Molina ŝutis multe da hemostaza pulvoro sur la vundojn, tamen ne ĉesis la sangado. Molina larmis de ĉargreno, sed Gorli rigardis tion nenio grava, eĉ ĝoje fajfis. Ĝuste kiam la knabino maltrankviliĝis ne sciante kion fari, la junulo Odguj venis kun sako. Li prenis el la sako pinĉon da ruĝa pulvoro, ŝutis ĝin sur la vundojn kaj premetis ilin per manplato. Ho, la sangado tuj ĉesis.

"Aŭ, kion vi uzis?" mire demandis Molina. "Tio estas hemostaza pulvoro farita el pluraj drogherboj." Odguj levis la kapon kaj honeste ridetis al Molina. Gorli rimarkis, ke Molina donis dankeman kaj amoplenan rigardon al Odguj, dum la stulteta Odguj respondis nur per rideto.

Kia ĵaluzo turmentis Gorli! Antaŭ ol li forlasis la bredejon, li refoje sin turnis al Molina: "Molina, mi kaj mia patro iros labori kiel vojgvidistoj por fervojaj prospektoroj. Mi revenos post duonjaro. Se vi bezonas ion, mi aĉetos por vi." Molina balancetis la kapon kaj ekridetis kunpremante la lipojn. Gorli faris paŝon antaŭen kaj flustris al ŝi: "Molina, ĉi-foje mi povos perlabori multe da mono. . ." "Ĉu vi volus establi bankon?" ŝi ŝerce ĵetis al li koleran rigardon.

Gorli malkaŝis sian sekreton al sia patro Gordamb. La maljuna ĉasisto severe riproĉis la filon: "Kia ŝtipo! Fianĉino ne estas aĉetebla per mono. Ŝi amas homon kun pura koro." Sed la filo ne kredis la vortojn de la patro. Nun, li alprenis ŝnuron kaj sin pafis el la tendo al la arbaro.

"Blek, blek. . ." jen de proksime jen de malproksime alvenis la maltrankvila kaj dolora bleko. Gorli rekonis el la bleko, ke la cervo estas vundita. Li ŝteliris en la densan arbaron, frotis al si la okulojn, pretigis la lazon kaj atendis kun granda pacienco.

Post ĉ. duonhoro, anstataŭ la blekon de la cervo li aŭdis nur susuradon venintan de la pado antaŭ li. "Molina, kial vi venas ĉi tien?" Tio estis la voĉo de

Gordamb. "Oĉjo, unu cervo eskapis el la bredejo, kaj mi blovas cervofluton por ĝin revoki." "Ĉu vi vidis Gorli?" "Ne, mi lin ne vidis. Ĉu li ne enfalis en monsakon?" Aŭdiĝis ridkluko de la knabino.

"Puf!" la lazo en la mano de Gorli glitfalis teren.

En la aero super la arbaro ruliĝadis nur la sono de cervofluto.

사슴피리

강 징리

"삐이익, 삐이익, 삐이익…."

때때로 수사슴의 울음소리가 탐사자들의 천막 안으로 날아들었습니다. 젊은 사냥꾼 **고르리**는 번개처럼 짚 매트리스에서 일어났습니다. 무리를 떠난 야생 사슴이 울고 있는 것 같았습니다. 이제 본격적으로 사슴의 어린 뿔을 자르는 계절이 왔습니다.

"하하, 잡기만 하면…."

그리고 동시에 사슴의 울음소리에 흥분된 마음은 조용하고 매력적인 소녀 **몰리나**가 일하는 홍리우탄의 사슴 농장으로 날아갔습니다. 고르리는 종종 특정 기간 동안 농장에 가서 몰리나를 기쁘게 하기 위해 이런저런 일을 하도록 도왔습니다. 어느 날, 사슴 한 마리가 어린 뿔이 잘린 뒤 머리에서 계속 피를 흘리고 있었습니다. 몰리나는 상처에 지혈가루를 잔뜩 뿌렸지만 출혈은 멈추지 않았습니다. 몰리나가 곤경에 처해 울었지만 고르리는 그것을 심각한 일이 아니라고 생각하고 즐겁게 휘파람을 불었습니다. 소녀가 어떻게 해야 할지 몰라 걱정하고 있을 때, 청년 **오드구이**가 봉지를 들고 왔습니다. 봉지에서 붉은 가루를 한 움큼 꺼내 상처 부위에 뿌리고 손바닥으로 눌렀습니다. 아, 출혈이 즉시 멈췄습니다.

"아, 뭘 썼어요?"

몰리나가 놀라서 물었습니다.

"여러 가지 약초를 섞어 만든 지혈분말이에요."

오드구이는 고개를 들고 몰리나를 향해 솔직하게 미소를 지었습니다. 몰리나가 오드구이에게 감사하고 사랑스러운 표정을 짓는 반면, 어리석은 오드구이는 단지 미소로만 반응한다는 것을 고르리는 알아차렸습니다.

얼마나 질투심이 고르리를 괴롭혔습니까! 농장을 떠나기 전에 고르리는 다시 한 번 몰리나에게 몸을 돌렸습니다.

"몰리나, 나와 아버지는 철도 탐사자들을 위한 길 안내자로 일할 예정이예요. 반년 뒤에 다시 올게요. 필요한 게 있으면 내가 사줄게요."

몰리나는 고개를 저으며 입술을 오므리고 살짝 웃었습니다. 고르리는 한 걸음 더 나아가 속삭였습니다.

"몰리나, 이번에는 많은 돈을 벌 수 있을 거예요."

"은행을 차리고 싶나요?"

몰리나는 농담하며 화난 표정을 지었습니다.

고르리는 아버지 고르담에게 자신의 비밀을 밝혔습니다. 늙은 사냥꾼은 아들을 엄하게 꾸짖었습니다.

"대단한 바보로구나! 신부는 돈으로 살 수 없어. 그 아이는 순수한 마음을 가진 남자를 사랑해."

그러나 아들은 아버지의 말을 믿지 않았습니다. 이제 고르리는 밧줄을 잡고 천막 밖으로 나와 숲을 향해 총을 쏘았습니다.

"삐이익, 삐이익…."

이제는 가까이서, 또 멀리서 불안하고 고통스러운 울부짖음이 들려왔습니다. 고르리는 짖는 소리를 통해 사슴이 부상당했다는 것을 알아차렸습니다. 울창한 숲 속으로 기어 들어가 눈을 비비고 올가미를 준비하고 인내심을 갖고 오래도록 기다렸습니다.

약 30분쯤 지나자 사슴의 울음소리 대신에 앞길에서 바스락거리는 소리만 들렸습니다.

"몰리나, 왜 여기에 왔니?"

그것은 고르담의 목소리였습니다.

"아저씨, 사슴 한 마리가 농장에서 탈출했어요. 사슴피리를 불어 다시 불러오려고 해요."

"고르리를 보았니?"

"아니요, 못 봤어요. 돈가방에 빠진 거 아닌가요?"

소녀에게서 낄낄거리는 소리가 들렸습니다.

"툭!"

고르리의 손에 있던 올가미가 땅에 미끄러졌습니다.

숲 위 공중에는 사슴피리 소리만이 울려 퍼졌습니다.

Novicoj

Liŭ Ĉjan

La juna flegistino Ŭang puŝis instrumentoĉaron antaŭ la malsanulan ĉambron kaj pretis puŝi la pordon, sed subite ŝi retiris la manon.

Ŝi devis fari intravejnan pogutigadon al nova paciento. Por malnova flegistino tio ja estas laboro tro simpla, sed por ŝi, ĵus veninta al la posteno, ne tiel facila. Antaŭ nelonge, por fari intravejnan pogutigadon al virino, ŝi faris sep pikojn en ŝian brakon, sed ankoraŭ ne trovis ŝian vejnon. Nun ŝi denove devis fari tion al virino, kaj ŝi sentis timemon.

Post momenta hezito, ŝi fine ekhavis kuraĝon por malfermi la pordon. Subite ŝi vidis, ke la pacientino senmove staras antaŭ la fenestro tenante la brakojn horizontale levitaj. Strange! Kion ŝi faras? Ŝi iris pli proksimen al ŝi kaj vidis, ke ŝi tenas pomon en la maldekstra mano kaj tranĉileton en la dekstra. La dekstra pojno senĉese moviĝis, sed la tranĉileto neniam tuŝis la pomon. La pacientino mallevis la brakojn kaj salutis ŝin per ĉarma rideto, nur kiam Ŭang puŝis botelalkroĉilon apud ŝian liton. Vidinte ŝian alabastran vizaĝon. Ŭang miris: "Ho, estas ŝi!"

Ŭang rekonis, ke ŝi estas la juna frizistino. Antaŭ nelonge Ŭang iris frizigi al si la harojn. Ŝi longe vicatendis kaj fine venis al ŝi juna frizistino preskaŭ samaĝa kiel ŝi. Ŭang ne fidis je ŝia tekniko. Kiam la frizistino malvolvis la tukon kaj petis ŝin sidiĝi, ŝi singêene almontris pliaĝan friziston kaj diris: "Ni jam antaŭkonsentis, ke li frizu al mi. . ." La frizistino tute ne ofendiĝis de la rifuzo kaj diris ĝentile: "Bone, sed bonvolu iom atendi." Kaj post momento ŝi flustre aldonis: "Li frizas tre bone, vi certe kontentiĝos pri lia tekniko."

Ĉe la rememoro Ŭang ekkomprenis kaj diris: "Ĉu vi ĵus ekzercis vin pri razado?"

"Jes, vi trafe konjektis," la pacientino diris en trankvilo. "Kiam mia majstro lernis la metion, li pendigis siajn brakojn per du maldikaj fadenoj kaj senĉese movadis la pojnon. Mi estas novico kaj devas pli multe ekzerci min, alie mi ne povus lertiĝi en ia metio. . ." La vortoj estis tre ordinaraj, tamen ili frapis la koron de Ŭang kiel peza martelo.

Ŭang faris preparon kaj sterilizon, sed kiam ŝi alprenis la injektilon, ŝi trovis, ke la vejno en la brako de la diketa frizistino ne estas facile trovebla. La koro de Ŭang pli forte streĉiĝis. Rimarkinte, ke la manoj de Ŭang tremetis, la frizistino demandis kun rido: "Eble estas malfacile trovi la vejnon en mia brako? Nenio grava. Estu kuraĝa!" "Ne," diris Ŭang, "ĉu mi venigu spertan flegistinon?" "Ne, se vi ĉiam retiriĝos antaŭ malfaciloj, do kiam vi lertiĝos en la tekniko?" Ŝi etendis la brakon kaj kuraĝigis ŝin sincere: "Provu, ni ambaŭ estas novicoj. . ."

La injektilo, tre malpeza por Ŭang antaŭe, nun kvazaŭ fariĝis neporteble peza.

초보자

리우 챤

젊은 간호사 **왕**은 병실 앞으로 기구 손수레를 밀고 문을 열려던 참에 갑자기 손을 뒤로 잡아당겼습니다.

새로운 환자에게 정맥 주사를 주입해야 했습니다. 늙은 간호사에게는 너무나 간단한 일이지만 이제 막 들어온 왕에게는 쉽지 않은 일이었습니다. 얼마 전 한 여성에게 정맥 주사를 하기 위해 팔에 일곱 번을 찔렀지만 여전히 정맥을 찾을 수 없었습니다. 이제 또다시 여자 환자에게 이런 일을 하게 되었고 부끄러워졌습니다.

잠시 망설인 끝에 마침내 용기를 내어 문을 열었습니다. 환자가 팔을 수평으로 들고 창문 앞에 가만히 서있는 것을 문득 보았습니다. 이상하다! 무엇을 하고 있지? 환자에게 더 가까이 다가가니 왼손에는 사과를, 오른손에는 작은 칼을 들고 있는 것을 보았습니다. 오른쪽 손목은 끊임없이 움직이고 있었지만 작은 칼은 사과에 닿지 않았습니다. 왕이 침대 옆으로 기구 손수레를 밀자 환자는 팔을 내리며 매력적인 미소로 인사했습니다. 광택이 없는 하얀 얼굴을 보고 왕은 깜짝 놀랐습니다.

"아, 그 여자분이군요!"

왕은 환자가 젊은 미용사임을 알아차렸습니다. 얼마 전 왕은 머리를 하러 갔습니다. 오랫동안 줄을 서서 기다렸고 마침내 나이가 거의 같은 또래의 젊은 미용사가 왕을 찾아왔습니다. 왕은 여자의 기술을 믿지 않았습니다. 미용사가 수건을 풀고 앉으라고 하자 왕은 나이든 미용사를 수줍게 가리키며 말했습니다.

"우리는 그 사람이 내 머리를 해주기로 이미 사전에 합의했어요.”

미용사는 거절에 전혀 기분이 상하지 않았으며 “알겠습니다. 하지만 조금만 기다려주세요.” 라고 정중하게 말했습니다. 그리고 잠시 후 미용사는 속삭였습니다.

“그 사람은 머리를 아주 잘 해줘요. 그 기술에 분명히 만족하실 겁니다.”

그 회상을 하며 알아차리고 왕은 “방금 면도 연습을 한겁니까?” 라고 말했습니다.

“예, 추측한 대로 입니다.”

환자가 침착하게 말했습니다.

“내 스승님은 이 일을 배우셨을 때, 얇은 실 두 개를 팔에 걸고 끊임없이 손목을 움직였어요. 나는 초보자이므로 더 많이 연습해야 하거든요. 그렇지 않으면 어떤 기술도 잘할 수 없어요.”

그 말은 아주 평범했지만 마치 무거운 망치처럼 왕의 마음을 강타했습니다.

왕은 준비와 소독을 했지만 주사기를 집어 들었을 때 통통한 미용사의 팔에서 정맥을 찾기가 쉽지 않다는 것을 발견했습니다. 왕의 마음은 더욱 긴장됐습니다. 왕의 손이 떨리는 것을 본 미용사는 웃으며 물었습니다.

“아마 팔의 정맥을 찾기가 어려울까요? 크게 신경 쓰지 마세요. 용기를 내세요!”

“아니요.” 왕이 말했습니다.

“경험이 풍부한 간호사를 데려와야 할까요?”

“아니요, 어려움 앞에서 항상 물러서면 언제 기술을 잘하게 될까요?”

미용사는 팔을 내밀며 진심으로 격려했습니다.

“시도해 보세요. 우리는 둘 다 초보자예요.”

예전에는 아주 가벼웠던 주사기가 이제는 참을 수 없을 정도로 무거워 보였습니다.

Hazardo

Zoŭ Deŝjŭe

La strateto estis mallarĝa, kaj tri knabinoj brako en brako marŝantaj preskaŭ ĝin ŝtopis. Kiel do Ĉen Jŭe povus antaŭiĝi al ili? La knabinoj gaje interparoladis, kvazaŭ ili estus la plej ĝojaj en la mondo. Ili tute ne rimarkis, ke post ili sekvis embarasita honesta junulo. Vole-ne-vole Ĉen Jŭe devis paŝadi post ili.

"Ĉu vi legis la leteron en la rubriko "Junularo" en la hodiaŭa ĵurnalo? La aŭtoro estas tre kompatinda," diris la meza knabino kun longa harfasko simila al ĉevala vosto.

"Jes, mi ĝin legis. La junulino estas tro vanta. Kiam ŝi sciiĝis, ke liaj noveletoj aperis en ĵurnaloj, ŝi tuj enamiĝis en lin; sed kiam ŝi eksciis, ke li estas strat-balaisto kaj preferas resti en sia profesio dum la tuta vivo, ŝi tuj rifuzis lin. Kiel mallaŭdinda ulino!" diris la maldekstra knabino kun ondumita hararo.

"Ĉu la junulo nomiĝas Ĉen Jŭe? Li ja estas brava, kaj li bone respondis al la knabino, ke li preferos resti fraŭlo dum la tuta vivo ol ŝanĝi sian profesion tra malĝusta kanalo," diris la dekstra knabino kun paro da harligetoj.

Ĉen Jŭe ruĝiĝis kaj estis emociita. Li eksentis en si grandan forton. Li ne plu sentis sin soleca kaj rifuzita.

"Sed tamen la profesio de balaisto vere ne estas ideala," diris la knabino kun "ĉevala vosto". "Supozu, ke se mia amato estus balaisto, kiel vi rigardus tion?" "Mi aprobus, se li estus honesta homo," laŭte kriis la knabino kun ondumita hararo. "Mi tute aprobus, kian ajn profesion li havus, se nur li ŝatus literaturon," aldonis la tria. "Haha! Do vi ambaŭ skribu al li..." surprize rebatis la knabino kun "ĉevala vosto". La mokitaj amikinoj forte pugnis ŝin kaj la triopo kune ridegis.

Sed ilia gaja rido pliembarasis Ĉen Jŭe. Li sentis, ke la koro batis pli forte kaj la sango ĵetiĝis en lian kapon.

"Ha! Post ni iras viro, ni ne estu tiel frenezaj!" La knabino kun ondumita hararo rimarkis la postiranton kaj atentigis siajn senbride ridegantajn kunulinojn.

La knabino kun "ĉevala vosto" kovris al si la buŝon, returniĝis kaj ĵetinte rigardon al Ĉen Jŭe, daŭrigis sian parolon: "Ne forgesu skribi al li. Se vi hontus, mi skribu anstataŭ vi." Ĝuste tiam ili venis al vojkruco kaj turnis sin maldekstren.

Ĉen Jŭe haltis kaj akompanis ilin per okuloj, ĝis ili malaperis el la vido. Li falis en emociiĝon kaj ekscitiĝon. Li havis multajn pensojn portempe neordigeblajn.

Sed tamen li estis klara almenaŭ pri tio, ke li ne devas malfidi ĉiujn knabinojn, pro ke li foje estis rifuzita de unu knabino. Li forĵetis ĉagrenon kaj sinhumiligon, kaj denove estis plena de espero. . .

우연

조우 데쉐

골목은 좁았고, 팔짱을 끼고 걷는 소녀 세 명이 거의 골목을 막았습니다. 그렇다면 첸 웨는 어떻게 그들보다 앞서 나갈 수 있었을까요? 소녀들은 마치 세상에서 가장 행복한 것처럼 즐겁게 이야기를 나누고 있었습니다. 그들 뒤에서 난처한 정직한 청년이 따라온다는 사실을 전혀 눈치 채지 못했습니다. 어쩔 수 없이, **첸 웨**는 그들을 뒤따라 걸어야 했습니다.

"오늘 신문 '청년'란에 실린 편지를 읽었니? 글쓴이가 정말 불쌍해."

말꼬리 모양으로 길게 머리를 묶은 가운데 소녀가 말했습니다.

"그래, 읽었어. 그 젊은 여자는 너무 허영심이 많아. 남자의 단편 소설이 신문에 실렸다는 것을 알자 즉시 사랑에 빠졌어. 그러나 남자가 거리 청소부이고 평생 그 직업에 머물기를 원한다는 것을 알자 즉시 남자를 버렸어. 정말 비열한 여자야!"

왼쪽에 있는 물결 머리의 소녀가 말했습니다.

"그 청년 이름이 첸 웨잖아? 그 사람은 정말 용감해. 잘못된 경로로 직업을 바꾸느니 차라리 평생 독신으로 지내는 편이 낫다고 여자에게 잘 대답했어."

머리끈을 묶은 오른쪽 소녀가 말했습니다.

첸 웨는 얼굴이 붉어지며 감동을 받았습니다. 자신 안에서 큰 힘을 느꼈습니다. 더 이상 외로움과 거부감을 느끼지 않았습니다.

"그래도 청소부라는 직업이 정말 이상적이지는 않잖아."

'말꼬리' 한 소녀가 말했습니다.

"만약 내가 사랑하는 사람이 청소부라면, 넌 그것을 어떻게 보겠니?"

"그 사람이 정직한 사람이라면 인정할게."

물결모양 머리의 소녀가 큰 소리로 외쳤습니다.

"남자가 문학을 좋아한다면 어떤 직업을 가졌든 전적으로 인정할 거야." 라고 세 번째는 덧붙였습니다.

"흥! 그러니까 둘 다 그 사람한테 편지를 써."

'말꼬리' 한 소녀가 놀라서 대꾸했습니다. 조롱당한 친구들은 말한 소녀를 주먹으로 세게 때렸고, 셋은 함께 크게 웃었습니다.

하지만 그들의 유쾌한 웃음은 첸 웨를 더욱 부끄럽게 만들었습니다. 심장이 더 빨리 뛰고 피가 머리로 몰리는 것을 느꼈습니다.

"야! 우리 뒤에 남자가 와, 너무 난리치지 마!"

물결모양 머리의 소녀는 뒤따라 오는 남자를 발견하고 걷잡을 수 없이 웃고 있는 친구들을 지적했습니다.

'말꼬리'를 한 소녀는 입을 가리고 뒤돌아서 첸 웨를 바라보며 계속해서 다음과 같이 말했습니다.

"그 남자에게 편지 쓰는 것을 잊지 마. 부끄럽다면 내가 대신 글을 써 줄게."

바로 그때 그들은 교차로에 이르렀고 좌회전했습니다.

첸 웨는 멈춰 서서 그들이 시야에서 사라질 때까지 눈으로 그들을 따라갔습니다. 감동과 흥분에 빠졌습니다. 일시적으로 정리할 수 없는 생각이 많았습니다.

그러나 때로 한 소녀에게 거절을 당했다고 해서 모든 소녀를 불신해서는 안 된다는 점은 분명했습니다. 슬픔과 굴욕을 버리고 다시 희망으로 가득 찼습니다.

Vaka Seĝo en Biblioteko

Song Jaŭljang

Ŝi denove aperis antaŭ la pordo de la esploranto-studenta instituto, kun bambua korbo kaj retsako en la mano; kaj post ŝi staris knabeto.

La pordisto rekonis ŝin. Laca mieno, senbrilaj haroj, melankoliaj okuloj. . .

La pordisto ĵetis al ŝi simpatian rigardon kaj ŝin enlasis per mansigno. Li eĉ informis ŝin, ke la gvidantaro de la instituto estas kunvenanta en la dua etaĝo. Sed ŝi iris en alian direkton, al la biblioteko en la tria etaĝo. Ŝi lokis la korbon kaj retsakon en la vestiblo kaj lasis la infanon distri sin tie. Ŝi malfermis la risortan pordon kaj enpaŝis per pezaj sed firmaj paŝoj.

Nombrante en si, ŝi lantc trenis sin al la tria seĝo ĉe la oka tablo. Ŝi staris kelkan tempon en plena soleneco. Subite ŝi sidiĝis sur la leda seĝo, dolore kaj senforte. Anhelante, ŝi montris nepriskribeblan lacon.

Antaŭ unu jaro, ŝia edzo, elstara esploranto-studento de la instituto, subite mortis sur ĉi tiu seĝo pro malsaniĝo post troa penado.

Kiam ŝi levis la kapon, ŝi vidis apud si grizharan

maljunulon.

"Vian infanon mi lasis aliajn konduki al manĝejo. Kiel vi vivas?" La bonkora maljunulo mallaŭte vespiris kun zorgemo kaj simpatio. Sed nun ŝiaj okuloj radiis malvarman kaj firman brilon. "Nu, bibliotekestro, tiu ĉi vaka seĝo nun apartenas al mi!" ŝi maltrafe respondis, firme kunpremante la dentojn. Poste, per tremetanta mano ŝi disvolvis enlasan informilon kun freŝe ruĝa sigelo "Esploranto-studenta Instituto de la Ĉina Akademio de Sociaj Sciencoj". Surprizite, la maljuna estro murmuris kun ĝojo: "Ho, vi estas akceptita eĉ al la sama studfako kiun li iam. . . ,ho, bone, tre bone."

Ŝi kliniĝis sur la tablon kaj ŝiaj ŝultroj tremetis. En la kvieta legoĉambro de la biblioteko leviĝis softa ĝemploro. Ŝi ne larmis ĉe la funebra ceremonio por sia edzo antaŭ unu jaro, sed nun ŝi larmis post la sukceso. . .

"Ploru, elverŝu per ploro la. . . la. . . Viaj larmoj entenas triston, sed pli da ĝojo," apude murmuris la maljuna bibliotekestro, kvazaŭ al si mem.

도서관의 빈 의자

송 야우량

여자는 손에 대나무 바구니와 망태기를 들고 다시 대학연구소 문 앞에 나타났습니다. 그리고 여자 뒤에는 어린 아이가 서 있었습니다.

수위는 여자를 알아보았습니다. 피곤한 표정, 칙칙한 머리, 우울한 눈빛.

수위는 여자에게 동정적인 표정을 지으며 손을 흔들었습니다. 심지어 연구소 지도부가 2층에서 회의를 하고 있다는 사실도 알려주었습니다. 하지만 여자는 다른 방향, 즉 3층 도서관으로 갔습니다. 바구니와 망태기를 입구에 놓고 아이가 그곳에서 놀도록 두었습니다. 용수철이 달린 문을 열고 무겁지만 단단한 발걸음으로 안으로 들어섰습니다.

속으로 수를 세면서 여덟 번째 탁자의 세 번째 의자로 천천히 몸을 끌고 갔습니다. 엄숙하게 한동안 서 있었습니다. 갑자기 고통스럽고 힘이 빠진 채 가죽 의자에 앉았습니다. 헐떡거리며 형언할 수 없는 피로감을 드러냈습니다.

1년 전, 대학연구소 선임 연구원이었던 남편이 과로로 인한 질병 때문에 갑자기 이 의자에서 사망했습니다.

여자가 고개를 들었을 때 옆에서 백발의 노인을 보았습니다.

"다른 사람들이 네 아이를 식당에 데려가도록 했어. 어떻게 지냈니?"

마음씨 착한 노인은 배려와 동정심으로 부드럽게 숨을 쉬었습니다. 그러나 지금 여자의 눈은 차갑고도 확고한 빛을 내뿜었습니다.

"자!, 관장님, 이 빈 의자는 이제 제 것입니다!"

여자는 이를 악물고 흘리듯 대답했습니다. 그리고 떨리는 손으로 '치나사회과학원 대학연구소'라는 빨간 도장이 새롭게 찍힌 입학 안내서를 펼쳤습니다. 놀란 늙은 관장은 기뻐하며 중얼거렸습니다.

"아, 너도 그 놈이랑 같은 학과에 합격했구나. 아이고, 좋아, 아주 좋아."

여자는 탁자 위로 몸을 숙였고 어깨가 떨렸습니다. 조용한 도서관 열람실에 부드러운 흐느낌이 일어났습니다. 1년 전 남편의 추모식에서는 눈물을 흘리지 않았으나 지금은 합격하고 나서 눈물을 흘립니다.

"울어라, 울면서 쏟아라. 그만큼…. 네 눈물에는 슬픔이 담겨 있지만 기쁨이 더 크다."

옆에 있던 늙은 관장은 혼잣말처럼 중얼거렸습니다.

La Golulo

Li Lin

Mi ne scias, kiu raportisto malkaŝis mian fraŭlecon en ĵurnalo. Reveninte al la patrolando post la internacia matĉo mi ricevis ĉiutage leterojn kun enmetitaj fotoj de knabinoj el diversaj lokoj de la lando. Legante la varmajn leterojn kaj rigardante la ridetantajn vizaĝojn, mi tute embarasiĝis. Mi estas golulo, sed mi neniam spertis tiel drastan atakon. La leteroj multe ĝojigis mian patrinon, sed multe implikis min. Mi timis, ke mi vundus la koron de tiuj junulinoj, se mi ne konvene respondus al ili. Kaj plie, mi ja estis atendanta la leteron de ŝi. Oni eble opinius, ke mi estas tro elektema.

Kiam mi estis ĵus venigita al la teamo por koncentra trejnado, mia korpo estis ofte kovrita de vundoj, sed la trejnisto ankoraŭ submetadis min al aldonaj trejnoj. Iun dimanĉon mi estis refoje venigita de la trejnisto al la sportejo. Rezulte de preteratento la pilko foje ruliĝis rekte en la golejon tra inter miaj kruroj. Koleriĝis la trejnisto, kaj li devigis min bari pilkoĵetojn 50-foje. Mi preskaŭ ekploris, kaj forkuris al la spektejo ofendita kaj deprimita. Subite mi aŭdis ridon de sur la spektejo.

Mi levis la rigardon kaj vidis junulinon hontigi min tie. "Ha fi, kiam mi forte ĉagrenas, vi ridas!" Ĝuste kiam mi estis flamiĝonta, la trejnisto kriis al ŝi: "He, kion vi ridas? Estos via vico por plori." Ŝi ruĝiĝis kaj forkuris.

Vespere, ĉe la pordo de la sportejo mi refoje vidis ŝin. Ŝi ja atendis min por peti mian pardonon. Fakte mi tute forgesis la bagatelon. En sportista vesto nun ŝi aspektis forta kaj svelta. Sur ŝia plaĉa kaj sinĝeneta vizaĝo aparte belaj estis ŝiaj grandaj okuloj, kiujn mi kvazaŭ konus. "Ankaŭ vi estas sportisto?" "Ne, mi estas laboristino de ilmaŝina fabriko. Mi estas golulo de la Virina Futbala Teamo de nia fabriko." Post momento ŝi diris mallaŭte: "Mi esperas, ke mi iam vidos nian teamon gajni pokalon." De tiam mi fariĝis ŝia trejnisto.

Foje, post trejnado ŝi subite demandis min: "Ĉu vi ne malamas vian severan trejniston?" Mi demandis anstataŭ respondi: "Ĉu vi ne malamis min, kiam mi senkompate trejnis vin?" Ŝi respondis kun naiva rideto: "Kial ne? Sed post pripenso la malamo turniĝis en amon. Mia patro ofte diras, ke la nuna ploro alportos estontan ridon." Mi sentis mian koron ekskuita: "Ankaŭ mia trejnisto ofte tiel diras — ĉu via patro estas futbalo-ŝatanto?" Ŝi respondis kun kapo flanken klinita: "Tio estas sekreto. Post via reveno de la matĉo mi invitos vin al mia hejmo, kaj tiam vi ĉion scios."

"Leteron!" Aŭdinte la krion, mi pafiĝis el la ĉambro. Letero de ŝi! En la letero ŝi skribis nur du frazojn: "Miaj gepatroj invitas vin gasti ĉe ni morgaŭ p.tm. La adreso: 4-1, Ŝinhŭa-strato." "Mia ĉielo!" Ankaŭ mia trejnisto invitis min al kuna manĝado morgaŭ p.t.m. kaj la adreso estas la sama. Surprizita, mi sentis kaj ĝojon kaj timon. Kian rolon mi ludos morgaŭ? La "pilko" estis vere malfacile barebla. Mi jam perdis la kuraĝon imagi plu.

문지기(골키퍼)

리 린

어느 기자가 나의 독신 생활을 신문에 폭로했는지 모르겠습니다. 국제대회를 마치고 고국으로 돌아온 나는 매일 전국 각지에서 온 소녀들의 사진이 담긴 편지를 받았습니다. 따뜻한 편지를 읽고 웃는 얼굴을 바라보면서 정말 부끄러웠습니다. 나는 문지기지만 이렇게 강렬한 공격을 경험한 적이 없었습니다. 그 편지는 어머니를 매우 기쁘게 해 주었지만 나는 많은 것을 염려했습니다. 내가 제대로 대답하지 않으면 그 젊은 여성들의 마음에 상처를 줄까 봐 두려웠습니다. 게다가 나는 여자의 편지를 정말 기다리고 있었습니다. 누군가는 내가 너무 까다롭다고 생각할 수도 있습니다.

집중 훈련을 위해 팀에 막 합류했을 때 몸이 부상으로 뒤덮이는 경우가 많았는데 코치님은 여전히 저에게 추가 훈련을 시키셨습니다. 어느 일요일, 나는 다시 한번 코치의 안내를 받아 운동장으로 갔습니다. 실수로 인해 공이 다리 사이를 통해 곧바로 골문으로 굴러가는 경우도 있었습니다. 코치는 화를 내며 나에게 공던지기를 50번이나 막아내라고 강요했습니다. 나는 거의 울기 시작했고 기분이 상하고 우울해져서 관중석으로 도망갔습니다. 갑자기 관중석에서 웃음 소리가 들렸습니다. 나는 고개를 들었고 거기에서 나를 부끄럽게 만든 젊은 여자를 보았습니다.

"아이고, 치! 내가 정말 속상할 때 너는 웃는구나!"

내가 불길에 휩싸이려던 순간, 코치가 여자에게 소리쳤습니다.

"야, 뭘 보고 웃는 거야? 네가 울 차례가 될 거야."

여자는 얼굴을 붉히며 달아났습니다.

저녁이 되자 운동장 문 앞에서 나는 그 여자를 다시 보았습니다. 여자는 내가 용서를 구할 때까지 진짜 기다렸습니다. 사실 나는 그 사소한 일을 완전히 잊어버렸습니다. 지금 운동복을 입은 여자는 강하고 날씬해 보였습니다. 유쾌하고 수줍은 얼굴에, 내가 알고 있는 듯한 큰 눈이 특히 아름다웠습니다.

"너도 운동선수야?"

"아니요, 저는 공작기계 공장 노동자예요. 저는 우리 공장 여자축구팀 문지기거든요."

잠시 후 여자는 조용히 말했습니다.

"언젠가 우리 팀이 대회 우승을 하는 모습을 볼 수 있었으면 좋겠어요."

그때부터 나는 여자의 트레이너가 되었습니다.

한번은 여자가 훈련 후 갑자기 나에게 "엄한 코치가 싫지 않나요?" 라고 물었습니다.

나는 대답 대신 물었습니다.

"너를 심하게 훈련시켰을 때 나를 미워하지 않았니?"

여자는 순진한 미소로 대답했습니다.

"왜 아니겠어요? 그러나 곰곰이 생각해 보니 증오가 사랑으로 바뀌었어요. 아버지는 지금 울면 미래에는 웃게 될 것이라고 자주 말씀하셨거든요."

나는 가슴이 떨리는 것을 느꼈습니다.

"내 코치도 종종 그런 말을 해. 네 아버지는 축구팬이니?"

여자는 고개를 한쪽으로 기울인 채 대답했습니다.

"그건 비밀이에요. 선생님이 경기에서 돌아오면 제 집으로 초대할 게요. 그러면 모든 것을 알게 될 거예요."

"편지요!"

외치는 소리를 듣고 나는 방에서 뛰쳐나갔습니다. 그 여자에게서 온 편지! 여자는 편지에서 "제 부모님이 우리 집 손님으로 내일 오후에 선생님을 초대해요. 주소: 신화 거리 4-1." 라는 두 문장만 썼습니다.

"아이구 좋아!"

내 코치도 내일 오후에 나를 점심 식사에 초대했는데 주소도 똑같습니다. 나는 놀랐고 기쁨과 두려움을 동시에 느꼈습니다. 내일은 어떤 역할을 하게 될까요? '공' 은 정말 막기 어려웠습니다. 나는 이미 더 이상 상상할 용기를 잃었습니다.

Plibeligo

Ĝing Jŭanjŭo

Ŝia beleco estis nedisputebla, kaj la junulo kun insigno de belarta instituto sur la brusto ne povis ne elpreni sian krokizan kajeron. Li skizis ŝiajn kelkajn pozojn kaj volis fari krokizon de ŝia vizaĝo, sed subite al li ŝajnis, ke io sur ŝia vizaĝo detruas ŝian belecon. Sed kio? Li esplore rigardis.

Venis lia vico. Li sidiĝis sur la granda seĝo antaŭ ŝi. "Malaltigu vin," ŝi malvarme ordonis. Li iiom malaltigis sin kaj ĵetis rigardon en la spegulon, en kiu ŝi estis reflektita. "Klinu la kapon." kaj li devis kurbigi la dorson kun klinita kapo. Li povis rektigi sin nur kiam ŝi blovsekigis al li la harojn, kaj nur tiam li ekhavis klaran impreson pri ŝiaj trajtoj.

Ŝia vizaĝo estis ĉiam longigita, ĉu pro malkontento pri sia sorto, ĉu pro tio, ke iu ŝuldus al ŝi monon. Ŝia belkontura buŝeto, kun malsupren-kurbigitaj anguloj, evidentigis fierecon ĉikanantan ĉion en la mondo.

Aha, estas la apatio kaj flegmo, kiuj detruas ŝian belecon tordante ŝian vizaĝon. La flegmo malheligas ŝian radiantan belecon, kvazaŭ nubo kovras la lunon.

Li foriris restiginte karikaturon krokizon de ŝia vizaĝo en la kajero por klientoj. Apud la bildo estis skribite: "Ĉu vi povus fari vin pli bela?" Ĉu tio signifas esperon, aŭ mokon?

Por atentigi ŝin, la direktoro de la barbirejo montris

al ŝi la bildon. Ŝi ĵetis indiferentan rigardon al la bildo, nobele levis la ŝultrojn kaj foriris, montrante indulgemon al tiaj bagatelaj ofendoj.

Iutage post la okazo ŝi ricevis leteron. En la koverto estis nenio alia krom bileto por ekspozicio de pentraĵoj.

Ŝi vizitis la ekspozicion plenan de artisma etoso. Subite en ŝiajn okulojn ensaltis olepentraĵo. Ŝia koro ektremis. Kun la titolo "Plibeligo", la pentraĵo montras belan junan barbirinon atenteme blovsekigantan per feno la harojn por kliento. La konscience laboranta kaj afable ridetanta barbirino ĝuste estas ŝi, ho, ne, ja miloble pli bele impresanta ol ŝi! Momente ŝi kvazaŭ denove vidus antaŭ si la junulon kun insigno de belarta instituto kaj la karikaturan krokizon kun klarigo: "Ĉu vi povus fari vin pli bela?"

"Jes, ĉu mi povus fari min pli bela?" ŝi demandis sin starante antaŭ la spegulo frumatene de la sekvanta tago. Reveninte de la ekspozicio ŝi sendormis la tutan nokton. "Jes, la vivo estas belega, kial mi ĉiam flegme longigas la vizaĝon? Kial mi ne faras min pli bela?" Ŝi ekridetis en la spegulo, imitante la barbirinon en la pentraĵo, kaj tuj trovis, ke ŝiaj trajtoj estas pli ĉarmaj. Subite ŝi ruĝiĝis pro sia faro. Ŝi rigardis ĉirkaŭen kaj trankviliĝis, ke ŝiaj kolegoj estis purigantaj la barbirejon kaj neniu el ili rimarkis ŝin. Ŝi grimace kuntiris al si la belan nazon kontraŭ la spegulo, mallaŭte sin mokis: "stultulino!" kaj refoje ekridetis dolĉe.

미화(美化)

징 유안유에

여자의 아름다움은 의심할 여지가 없어, 가슴에 미술 학교 배지를 단 청년은 자기 스케치북을 꺼낼 수밖에 없었습니다. 여자의 행동자세를 몇 장 스케치하고 얼굴을 스케치하고 싶었지만 갑자기 얼굴에 있는 무언가가 아름다움을 무너뜨리고 있는 것처럼 보였습니다. 근데 뭐지? 호기심을 가지고 바라보았습니다.

청년의 차례가 왔습니다. 여자 앞에 있는 큰 의자에 앉았습니다.

"몸을 낮추세요."

여자가 차갑게 명령했습니다. 청년은 몸을 조금 낮추고 거울에 비친 여자를 쳐다보았습니다.

"고개를 숙이세요."

그리고 청년은 고개를 숙인 채 등을 구부려야 했습니다. 여자가 머리를 말려야만 청년은 등을 곧게 펼 수 있었고, 그제서야 여자의 이목구비가 뚜렷이 느껴졌습니다.

여자의 얼굴은 자신의 운명에 대한 불만이나 누군가가 자신에게 돈을 빚지고 있다는 사실 때문에 항상 화가 나 있었습니다. 입꼬리가 아래로 처져 예쁜 입은 세상의 모든 것을 흠잡는 자부심을 보여주었습니다.

아하, 얼굴을 비틀어 여자의 아름다움을 파괴하는 것은 무관심과 냉담이었습니다. 구름이 달을 덮은 듯 냉담이 여자의 찬란한 아름다움을 어둡게 만들었습니다.

청년은 손님을 위해 비치해둔 공책에 여자의 얼굴 캐리커처 스케치를 남기고 떠났습니다. 그림 옆에는 "자신을 더 아름답게 만들 수 있나요?" 라고 적혀 있었습니다. 그것은 희망을 의미하는가, 아니면 조롱을 의미하는가?

여자에게 알려주려고 미용실 원장은 그림을 보여주었습니다. 여자는 그림을 무관심한 눈길로 바라보며 그런 사소한 모욕에도 관대함을 보이고 고상한 척 어깨를 으쓱하고 나갔습니다.

그런 일이 있은 뒤 어느 날에 여자는 편지를 받았습니다. 봉투 안에는 그림 전시회 입장권 외에는 아무것도 없었습니다.

여자는 예술적인 분위기가 가득한 전시장을 찾았습니다. 갑자기 유화가 눈에 떠올랐습니다. 마음이 떨렸습니다. '미화' 라는 제목의 이 그림은 아름답고 젊은 여자미용사가 고객의 머리카락을 주의깊게 말려주는 모습을 보여줍니다. 성실하게 일하고 친절하게 웃는 미용사는 바로 자신입니다. 아, 아니, 자신보다 정말 천 배 더 인상적입니다! 잠시 여자 앞에는 미술 학교 배지를 한 청년과 "자신을 더 아름답게 만들 수 있나요?" 라고 설명하는 캐리커처 스케치가 다시 보이는 것 같았습니다.

"그래, 나를 좀 더 아름답게 만들 수 있을까?"

다음날 이른 아침, 여자는 거울 앞에 서서 자신에게 물었습니다. 전시회를 마치고 돌아와서 밤새 잠을 이루지 못했습니다.

"그래, 인생은 아름다운데 왜 나는 항상 얼굴을 냉담하게 화가 나 보이도록 할까? 왜 나 자신을 더 아름답게 만들지 않을까?"

여자는 그림 속의 미용사를 흉내내며 거울에 미소를 지었고, 즉시 자신의 모습이 더 매력적이라는 것을 깨달았습니다. 갑자기 자신이 한 일 때문에 얼굴이 붉어졌습니다. 주위를 둘러보며 동료들이 미용실을 청소하고 있어 아무도 자신을 알아보지 않는다는 사실에 안도했습니다. 여자는 거울에 아름다운 코를 찡그린 채 "바보같으니!" 하고 조용히 자신을 놀리며 다시 한번 상냥하게 웃었습니다.

Du Peticioj

Jang Ĝen

I. Demisia peticio de labrejestro

Fabrikestro Li,

Sincere mi petas la gvidantojn de la fabriko akcepti mian demision kaj promocii la teknikiston Ŭang Ĉjilan al mia ofico.

Vi bone scias Ŭang Ĉjilan, kaj ĉi tie mi ne bezonas lin prezenti detale. Mi nur volas raporti al vi, ke la lastatempa opinikontrolo montris, ke pli ol du trionoj de la kamaradoj aprobis lin.

Via

Ŝju Mingŝjan

II. Telefona interparolo de la fabrikestro kaj laborejestro

"Ha lo, mia malnova amiko, ĉi tie parolas Li. Mi jam legis vian peticion, kaj ĝi montras, ke vi havas malproksiman antaŭvidon. Mi tute aprobas ĝin. Sed kiel Ŭang opinias? Ĉu vi interparolis kun li?" "Ĝuste nun mi estas preta diskuti kun li, kaj samtempe kritiki lin. . ." "Pro kio?" "Ha, estas nenio grava, mi nur opinias, ke li iafoje emis paroli bombaste, kaj kiam li fariĝos laborejestro, li ja devas gardi sian langon." "Hahaha, "paroli bombaste", ĉu li ne heredis tion de vi? Kia majstro, tia lernanto." "Jes, sed tamen ni ambaŭ neniam mistraktis gravajn aferojn. . ." "Ja, ja, tio estas nur malgranda manko, kaj certe li atentigos sin."

Ⅲ. Propona peticio de Ŭang Ĉjilan

Fabrikestro Li,

Mi tutkore aprobas la demision de mia majstro, sed mi malkonsentas kun li pri lia propono. Kiel teknikisto ŝajne mi ankoraŭ taŭgas, sed mi tute ne taŭgas por esti administranto. Troviĝas du kategorioj de kapabluloj, nome administrantoj kaj fakuloj. La administranto direktas, dum la fakulo praktikas en sia fako. Kial puŝi min al administrado, en kiu mi estas ekster mia elemento?

Glorata estu la ĉielo. Ĉerpinte lecionojn el la pasintaj jaroj, ni fine komprenas promocii kvalifikitajn fakulojn. Sed teknikistoj restu teknikistoj, kaj ne pelu ilin al administrado.

Tial mi proponas promocii junan laboriston Ĝang Daĝje de nia laborejo al la ofico. Li estas pli juna, ambicia, bone edukita kaj kapabla. Kiam mi studis en Japanio, li laboris anstataŭ mi kiel grupestro kaj bone aplikis siajn memlernitajn sciojn pri administrado, montrante organizan kaj administran lertecon superan al la mia. Mi jam persvadis mian majstron, ke li rekomendu Daĝje al la gvidantoj de la fabriko. Nu, prijuĝu kaj decidu.

Via

Ŭang Ĉjilan

IV. Telefona interparolo de la fabrikestro kaj Ŭang

"Ha lo, ĉu mi parolas kun Ŭang? Mi estas Li." "Ho, fabrikestro, ĉu mian peticion. . ." "Jes, jes, mi jam legis ĝin." "Kiel vi opinias?" "Mi faris enketon kaj interparolis kun Daĝje plurfoje, kaj mi konsentas kun vi, ke li vere taŭgas por esti bona administranto, eble li iam estos fabrikestro." "Ĉu vere? Dankon al via estra moŝto." "Kial? Dankon ne al mi, sed al vi; vi rekomendis kapablulon kaj cetere elmetis pensigan demandon. . ." "Ej, ej, ne ŝercu kun mi." "Ne, mi ne ŝercas. Tre interesa estas via tezo pri la administranto kaj fakulo. Mi interkonsiliĝis kun la aliaj gvidantoj de la fabriko, kaj ni decidis peti vin doni al ni prelegon pri via saĝa tezo."

"Ho, fabrikestro, ne pereigu min, mi nur bombastas. . ." "Oni miskulpigis vin pri bombastado, kaj ni restarigos por vi la reputacion. Via prelego okazos en la kunvenejo en la dua etaĝo vespere de la venonta lundo. Decidite, kaj ni sincere ĝin atendas. . ."

두 가지 청원

양 젠

I. 작업반장의 사임 청원

리 공장장,

나는 공장 지도부에서 나의 사임을 받아들이고 기술자 **왕 치란**을 내 직위로 승진시켜 줄 것을 진심으로 요청합니다.

공장장은 왕 치란을 잘 알고 있으므로 여기에서 더 자세히 소개할 필요는 없습니다. 최근 여론조사에서 동지들의 3분의 2이상이 왕 치란을 지지했다는 사실을 알려드리고 싶습니다.

그럼 이만

슈 밍샨

II. 공장장과 작업반장의 전화통화

"여보세요, 나의 오랜 친구여, 리 공장장입니다. 이미 청원을 읽었으며, 그것은 반장님의 선견지명을 보여주는군요. 그것을 전적으로 동의해요. 하지만 왕은 어떻게 생각하나요? 그 사람이랑 얘기는 했나요?"

"지금 왕과 논의하려고 하면서 동시에 충고할 점도 있어요."

"무엇 때문에요?"

"아, 그게 중요한 건 아닌데, 그냥 그 사람이 가끔 호언장담하는 경향이 있었는데, 반장이 되면 정말 혀를 조심해야 하는 것 같아요."

"하하하, '호언장담한다'는 말, 그거 반장님한테 물려받은 거

아니었나요? 정말 그 스승에 그 학생이군요."

"그렇습니다. 하지만 우리 중 누구도 중요한 문제를 그르친 적이 없었어요."

"맞아요. 그것은 단지 작은 결점일 뿐이고, 분명히 왕은 주의할 거예요."

Ⅲ. 왕 치란의 동의 청원

리 공장장님,

저는 스승님의 사임을 진심으로 찬성하지만, 스승님의 제안에 대해서는 동의하지 않습니다. 저는 기술자로서는 여전히 적합한 듯하지만 관리자가 되기에는 전혀 적합하지 않습니다. 실력자에는 관리자와 전문가라는 두 가지 범주가 있습니다. 관리자는 지시하고 전문가는 해당 분야에서 일합니다. 제 능력밖에 있는 경영에 저를 왜 밀어넣습니까?

하늘을 찬양합니다. 지난 몇 년간의 교훈을 바탕으로 우리는 마침내 자격을 갖춘 전문가를 승진시키는 법을 알게 되었습니다. 그러나 기술자는 기술자로 남도록 하고 그들을 경영으로 내몰지는 마십시오.

그래서 저는 젊은 노동자 **장 다지에**를 작업장에서 사무실로 승진시킬 것을 제안합니다. 젊고 야심적이며 교육을 잘 받았으며 능력이 있습니다. 제가 일본 유학 시절 저를 대신해서 팀책임자로 일하며 독학한 경영 지식을 잘 활용해 저보다 뛰어난 조직력과 경영 능력을 보여주었습니다. 저는 이미 제 스승님을 설득하여 공장 지도부에 다지에를 추천하도록 했습니다. 자, 판단하고 결정하십시오.

그럼 이만 줄입니다.

왕 치란

Ⅳ. 공장장과 왕의 전화통화

"여보세요, 왕 인가요? 나는 공장장이예요."

"아, 공장장님, 제 청원을…."
"예, 예, 이미 읽었어요."
"어떻게 생각하십니까?"
"조사도 해보고 다지에랑 여러 차례 얘기를 나눴는데, 그 사람이 좋은 관리자가 되기에 정말 적합하다는 점에 동의해요. 언젠가는 공장장이 될지도 모르죠."
"정말입니까? 감사합니다, 공장장님."
"왜? 나에게 감사할 게 아니라 당신에게 감사하죠. 실력자를 추천했고, 생각을 자극하는 질문도 던졌잖아요."
"아이고, 농담하지 마십시오."
"아니야, 농담이 아니예요. 관리자와 전문가에 관한 당신의 글은 매우 흥미로와요. 공장의 다른 관리자들과 상의한 결과, 당신의 기발한 글에 관해 우리에게 강의를 해 달라고 부탁하기로 결정했어요."
"오, 공장장님, 저를 괴롭히지 마십시오. 저는 단지 호언장담만 했을 뿐입니다."
"당신이 호언장담 한다고 사람들이 잘모르고 비난하니, 우리는 당신의 명예를 회복해주기로 했어요. 다음주 월요일 저녁에 2층 회의실에서 강의하는 것으로 결정했으며 진심으로 기대할게요."

Manko

Najŝjang

Neniu venis renkonti ŝin. Ŝi ne sciigis lin por surprizi lin per neatendita ĝojo.

Ŝi ne urĝis sin iri el la stacio. Starante antaŭ la granda spegulo ĉe la pordo, ŝi kombis la taŭzitajn harojn per la fingroj. Ve, ŝi bedaŭris, ke ŝi ne iris al la necesejo por ŝanĝi la ĉemizon antaŭ ol la trajno atingis la stacion.

Ho, baldaŭ estos ŝia celloko! Trans la strato, tra stratetoj, maldekstren, kaj post 12 fostoj de elektra lineo. . . Ŝi iradis kaj havis malfacile rimarkeblan rideton sur la vizaĝo.

Li laboras en Pekino, dum ŝi studis en universitato en alia loko. Nun ŝi jam diplomitiĝis kaj estis postenigita al Pekino. Ŝi rememoris, ke antaŭ 5 jaroj, kiam ili ambaŭ laboris en la fabriko, li emis intence lasi la jakon nebutonita por vidigi la de ŝi trikitan puloveron. Ili sincere amas unu la alian.

Rapidiĝis la korbatado. Ŝi sentis, kvazaŭ plipeziĝus la sako en la mano. La pordo de la korto estis duonfermita. La najbaroj salutis ŝin per amika rideto, ĝentile ŝin bonvenigante. Ankaŭ la pordo de lia domo estis duonfermita. Do ŝi ne bezonis frapi je la pordo.

Ŝi estis stuporigita: Ĉu tio estas la ĉambro por ilia geedziĝo? Ĝi ja similas al malvasta ekspoziciejo de mebloj kaj elektraj aparatoj. Ŝi aŭdis vestolavadon en la interna ĉambro.

Ŝi levis la kurtenon kaj vidis lian patrinon malsane-aspekta. Ektremis ŝia koro. "Panjo," ŝi apudmetis sian sakon kaj tuj alprenis al si la lavaĵojn. "Panjo, kial vi ne uzas la lavmaŝinon?. . ." "Ĝi estas via. . ., ho, ne, vidu, kion mi diris. Mi mem preferas. . ., li ne malpermesis al mi uzi la maŝinon."

Nun li revenas. Jes, estas li! "Panjo," li vokis ekster la kurteno kaj enĵetis en la ĉambron nilonan subĉemizon kaj poste paron da ŝtrumpetoj odoraĉantaj.

Ŝi ruĝiĝis kaj kunŝovis la brovojn. Ŝi signis al la patrino, ke ŝi silentu. Sed li jam rimarkis ŝian sakon kaj ĝoje saltis en la internan ĉambron. "Ha, mia kara! Kial vi ne antaŭsciigis min? Estas ja varmege, kaj vi ripozu. Ej, panjo, kiel vi povis lasi ŝin lavi. . ." "Ne kulpigu la patrinon. Mi mem volontas!" ŝi intermetis.

"Panjo, kial vi ankoraŭ ne iras aĉeti almanĝaĵojn?" "Mi ne sentas malsaton," denove ŝi diris.

"Mi, mi," la patrino embarasiĝis, "kaj monon mi. . ." Li malŝlosis la tirkeston kaj elprenis dek-jŭan-an bileton kaj donis ĝin al la patrino. "Jen, aĉetu viandon sengrasan, kaj se estos fiŝoj, aĉetu du. Ŝi ŝatas kalke peklitajn ovojn kaj sojfabaĵojn kaj. . . peklitajn legomojn. Ho jes, ankaŭ glaciaĵojn. . ."

Zumante melodion, li malpakis la lavmaŝinon kaj

bonhumore almuntis kontaktilon.

"Mi penadis plurajn jarojn kaj eĉ abstinis de fumado por prepari nian geedziĝon, ĉu vi kontentiĝas pri ĉio tio?" li diris kaj metis la vestojn en la lavmaŝinon. "Venu," kun petola gesto li petis ŝin, "nur vi rajtas. . . ho ne, la maŝino atendas vian lanĉon."

Li certe fariĝos bona edzo, sed li ne estas bona filo. . .

"Kaj ĉe la geedziĝo ni ekhavos fridujon. Kaj tiam mankos al ni nenio." "Ne, ankoraŭ mankas io!" ŝi diris serioze kaj domaĝe, "Mankas la plej valora. . ." Ne fininte sian parolon, ŝi ekprenis sunombrelon kaj iris rekte al la bazaro.

부족함

나이샹

여자를 만나러 오는 사람은 아무도 없었습니다. 예상치 못한 기쁨으로 남자를 놀라게 하기 위해 미리 알리지 않았습니다.

여자는 역으로 나가기 위해 서두르지 않았습니다. 문 옆의 큰 거울 앞에 서서 헝클어진 머리를 손가락으로 빗었습니다. 안타깝게도 기차가 역에 도착하기 전에 셔츠를 갈아입으러 화장실에 가지 않은 것을 후회했습니다.

아, 곧 목적지가 되겠네요! 길을 건너고, 골목길을 건너고, 왼쪽으로, 12개의 전봇대를 지나…. 여자는 걸으면서 거의 보일락 말락하는 미소가 얼굴에 나타났습니다.

남자는 베이징에서 일하고 여자는 다른 지방 대학에서 공부했습니다. 지금 여자는 이미 졸업하고 베이징에 직장을 얻었습니다. 5년 전 두 사람이 공장에서 일할 때, 여자가 짠 스웨터를 보여주기 위해 남자가 일부러 재킷의 단추를 풀고 있던 것을 기억했습니다. 그들은 진심으로 서로 사랑합니다.

심장 박동이 빨라졌습니다. 손에 들고 있는 가방이 점점 무겁게 느껴졌습니다. 마당으로 향하는 문은 반쯤 열려 있었습니다. 이웃들은 여자를 친절한 미소로 맞이하며 반갑게 환영했습니다. 남자의 집 문도 반쯤 열려 있었습니다. 그래서 문을 두드릴 필요가 없었습니다.

여자는 깜짝 놀랐습니다. 거기가 그들의 결혼식을 위한 방인가요? 마치 가구와 가전제품이 진열된 비좁은 전시실과 비슷합니다. 여자는 안쪽 방에서 빨래하는 소리를 들었습니다.
커튼을 열고 병색이 깃든 남자의 어머니를 보았습니다. 마음이 떨렸습니다.
"엄마"
가방을 옆에 두고 바로 빨래를 집어들었습니다.
"엄마, 세탁기를 왜 사용하지 않으세요?"
"너의 것이야. 오, 아니, 내가 무슨 말을 했지. 나는 더 좋아해…. 아들이 나에게 세탁기 사용을 금하지는 않았어."
지금 남자가 돌아옵니다. 응, 그 사람입니다!
"엄마."
남자는 커튼 밖에서 소리치더니 나일론 속셔츠를, 다음에 냄새나는 양말 한 켤레를 방 안으로 던졌습니다.
여자는 얼굴을 붉히며 눈썹을 찡그렸습니다. 어머니에게 조용히 계시라고 손짓했습니다. 그러나 남자는 이미 여자 가방을 발견하고 기쁜 마음으로 안방으로 뛰어들어왔습니다.
"아, 자기야! 왜 미리 알려주지 않았어? 정말 무지 더운데. 자기는 쉬어야 해. 아이고, 엄마, 이 아이가 빨래하라고 어떻게 놔두실 수…."
"엄마를 탓하지 마세요. 제가 스스로 원한 거예요!"
여자가 끼어들었습니다.
"엄마, 왜 아직 식료품 사러 안 가세요?"
"배가 고프지 않아요."
여자가 다시 말했습니다.
"나, 나"
어머니는 당황하며 "그리고 돈을 나에게…."
남자는 서랍을 열고 10위안짜리 지폐를 꺼내 어머니에게 드렸습니다.
"여기 살코기를 사고, 생선이 있으면 두 마리 사세요. 이 아이는 생으로 절인 달걀과 콩을 좋아하고…. 절인 야채. 아, 아이스크림도….”

남자는 노래를 흥얼거리며 세탁기의 포장을 풀고 유쾌하게 전원을 연결했습니다.

“결혼 준비를 위해 몇 년간 열심히 일했고, 담배조차도 끊었는데, 이 모든 게 만족한가요?” 말하고 옷을 세탁기에 넣었습니다.

“이리 오세요.”

남자는 장난스러운 몸짓으로 여자에게 요청했습니다.

“당신만 권리가…. 아니, 당신이 작동하기를 세탁기가 기다려요.”

남자는 확실히 좋은 남편이 되겠지만 좋은 아들은 안….

“그리고 결혼식 때 우리는 냉장고를 가지게 될 거요. 그러면 우리에게 부족함이 없겠지요.”

“아니요, 아직 뭔가 빠진 게 있어요!”

여자는 진지하고 슬프게 말했습니다.

“부족해요, 가장 소중한….”

여자는 말도 다 마치지 못한 채 양산을 들고 곧바로 시장으로 나갔습니다.

Kiam Lia Ŝlosilo Perdiĝis

Ji Jun'u

Pangpang tre ĉagreniĝis pro tio, ke li perdis la ŝlosilon pendintan sur lia kolo[10]. La serura truo estis tiel malgranda, ke tra ĝi Pangpang eĉ ne povis vidi la panon kaj kolbasojn kiujn lia patrino pretigis por li antaŭ sia foriro al laboro. Li terure malsatiĝis. La suno hastis al la zenito kaj la ombroj de arboj fariĝis pli kaj pli mallongaj.

Pangpang estas bravulo — tiel iam diris lia patrino — kaj li nepre eltenos la malsaton.

Ĉe tiu penso li kaŭriĝis, malfermis la librosakon, elprenis paŝtelon kaj ekpentris sur papero Sun Ukon g[11]. Li pentris la oran bastonon de Sun Ukong en formo de ŝlosilo, sed tio ne helpis lin kvietigi la malsaton. Li denove ĉagreniĝis kaj volis plori.

Ĉiaokaze li estis nur lernanto de la dua klaso. Li ekkoleris kontraŭ la pordo: kial oni nepre ŝlosas la

10) Plejparto de la geedzoj en la urboj de Ĉinio estas profesiuloj, Se en ilia hejmo ne estas maljunuloj, ilia infano devas tagmanĝi sola hejme, Kaj tial la gepatroj kutime pendigas sur la kolo de sia infano la ŝlosilon de sia domo.

11) Sun Ukong estas personigita ĉiopova simio-reĝo en ĉina mito-romano «Pilgrimado al la Okcidento».

pordojn?

Iu en blua jako iris supren: revenis Onklino Ĝjang loĝanta en la sesa etaĝo. Ŝi ĉiam tiel rapidas sur la ŝtuparo, kiel ŝi stiras aŭtobuson. Post nelonge li aŭdis klakadon sur la ŝtuparo. Jen revenis Doktoro Liŭ en la kvara etaĝo. La klakado venis de liaj feritaj kalkanumoj. Iam li eltiris al Pangpang denton, tute sendolore. Fine Pangpang vidis Avon Barbulon loĝantan en la teretaĝo. Li kutime iras supren al la tria etaĝo post tagmanĝo por ŝakludi kun la pentristo. Se li gajnas la ludon, li ĉiam montras grandan gajecon revenvoje.

Denove ĉio silentiĝis. Aŭdiĝis nur la krio de surstrata vendisto de glaciaĵoj. Pangpang ankoraŭ kaŭris gapante al sia pentraĵo.

Subite antaŭ liaj okuloj ekbrilis io blua, kaj antaŭ ol li komprenis, li jam estis ĉirkaŭprenita de Onklino Ĝjang. "Jes, mi ja sentis ion nenormalan. Sed kial vi ne turnis vin al mi, infano? Iru al mia hejmo kaj ni kune tagmanĝu." Ŝi diris kaj instigis Pangpang iri al la sesa etaĝo kvazaŭ pelante ŝafidon.

La ŝtuparo estis mallarĝa. Baldaŭ aŭdiĝis denove la klakado de sur la supra planko. Aperis Doktoro Liŭ kun manĝbastonetoj: "Jes, ankaŭ mi sentis ion nenormalan. Kutime la knabo ne vagas ekstere en tagmezo, Jen lia ŝlosilo perdiĝis, kaj li certe terure malsatas," Pro ke li estas de forta sekso, li baldaŭ sukcesis alpreni al si Pangpang.

Nun tute konfuziĝis la bravuleto turmentata de

malsato. Ĉe la ŝtuparo okazis konkuro inter Onklino Ĝjang kaj Doktoro Liŭ. Ĉiu el ili opiniis sian argumenton pli konvinka. Ŝi diris: "Mi la unua rimarkis Pangpang." Li kontraŭdiris: "Mi loĝas pli proksime, ĝuste sur la tria etaĝo."

Ĝuste kiam ambaŭ ili ardis en konkuro, malsupreniris Avo Barbulo. Kun arĝenta barbo li aspektis aparte majesta kaj baris al ili la vojon kiel muro. Pinĉante al Pangpang la orelon, li diris: "Mi kulpas, ke mi ne vidis vin pro mia maljuneco, Nun sekvu min kaj lasu la avinon prepari por vi tagmanĝon." Strange, ke lia pinĉado ne dolorigas, sed Pangpang ekploris.

Jen alvenis ankaŭ la maljuna pentristo, kun pano en la mano. Estiĝis vera bruo en la dua etaĝo.

La bruo estis tiel forta, ke Pangpang pensis, ĉu la gepatroj ĝin aŭdis. Jes, Pangpang perdis sian ŝlosilon kaj ne povis eniri en sian ĉambron, sed la geonkloj kaj avoj malfermis al li la pordon de sia koro.

열쇠를 잃어버렸을 때

위 윤우

팡팡은 목에 걸고 있던 열쇠를 잃어버려서 매우 속상했습니다.[12) 그 열쇠 구멍은 너무 작아서 엄마가 출근하기 전에 준비해준 빵과 소시지조차 보이지 않을 정도였습니다. 팡팡은 몹시 배가 고팠습니다. 태양은 서둘러 하늘 꼭대기를 향해 가고 있었고 나무 그림자는 점점 짧아졌습니다.

팡팡은 용감한 사람이라고 어머니는 한때 그렇게 말했습니다. 그래서 팡팡은 반드시 배고픔을 견딜 것입니다.

그런 생각에 웅크리고 앉아 책가방을 열고 파스텔을 꺼내 종이에 손오공[13)을 그리기 시작했습니다. 손오공의 황금 지팡이에 열쇠 모양을 그렸지만 그것은 배고픔을 달래는 데 도움이 되지 않았습니다. 또 화가 나서 울고 싶었습니다.

어쨌든 팡팡은 고작 2학년이었습니다. 사람들이 왜 문을 잠가야 합니까? 하고 문에 화풀이를 했습니다.

파란색 재킷을 입은 누군가가 위층으로 올라갔습니다. 6층에 사는 **장** 아줌마가 돌아온 것입니다. 아줌마는 항상 버스를 운전하는 것처럼 계단에서도 빠릅니다. 얼마 지나지 않아 계단에서 덜거덕거리는 소리가 들렸습니다. 여기 4층에 **리우** 박사가 돌아온 것입니다.

---

12) 중공 도시의 부부는 대부분 전문직업 종사자이고, 집에 노인이 없으면 아이는 집에서 혼자 점심을 먹어야 하기 때문에 부모는 보통 아이의 목에 집 열쇠를 걸어줍니다.

13) 손오공은 중국 신화 소설 <서유기>에 나오는 전능한 원숭이 왕의 의인화이다.

딸깍거리는 소리는 쇠가 달린 구두뒤축에서 들려왔습니다. 박사님이 팡팡의 이를 뽑을 때 통증이 전혀 없었습니다. 마침내 팡팡은 1층에 사는 수염난 할아버지를 보았습니다. 보통 점심 후에 3층으로 올라가서 화가와 장기를 두곤 하십니다. 놀이에서 이기면 돌아오는 길에는 늘 밝은 표정을 지으십니다.

모든 것이 다시 조용해졌습니다. 길거리 아이스크림 노점의 시끄러운 소리만 들렸습니다. 팡팡은 그림을 바라보면서 여전히 웅크린 채 있었습니다.

갑자기 눈앞에 뭔가 푸른빛이 번쩍이더니, 어느새 이미 장 아줌마의 품에 안겨 있었습니다.

"그래, 뭔가 이상한 느낌이 들었어. 그런데 왜 나한테 오지 않았느냐, 애야? 우리 집에 가서 같이 점심 먹자."

아줌마는 어린 양을 몰듯이 팡팡에게 6층으로 가라고 말하며 재촉하셨습니다.

계단은 좁았습니다. 곧 위층에서 다시 딸깍거리는 소리가 들렸습니다. 리우 박사는 젓가락을 들고 나타났습니다.

"네, 저도 뭔가 이상한 느낌이 들었어요. 보통 남자애는 한낮에 밖에 돌아다니지 않는데. 여기서 열쇠를 잃어버렸으니, 배가 엄청 고픈 게 틀림없어요."

남자라 힘이 더 셌기에 금세 팡팡을 자기 쪽으로 데려갔습니다.

이제 굶주림으로 고통받는 용감한 작은 남자아이는 완전히 혼란스러워졌습니다. 계단에서는 장 아줌마와 리우 박사 사이에 경쟁이 벌어졌습니다. 그들 각자는 자신들의 주장이 더 설득력이 있다고 생각했습니다. 아줌마는 "팡팡을 제일 먼저 알아봤다." 고 말했습니다. 박사는 "나는 더 가까운 3층에 산다." 고 반박했습니다.

둘 다 경쟁에서 열을 내고 있는 바로 그때 수염난 할아버지께서 내려오셨습니다. 은빛 수염을 길러 유난히 위엄 있어 보였고 마치 벽처럼 그들 앞에서 길을 막으셨습니다. 팡팡의 귀를 잡고 "나이가 많아서 못 본 게 내 잘못이야. 이제 따라와서 할머니가 점심 준비를 하게 해라." 하고 말씀하셨습니다. 잡아도 아프지 않은 게 이상했지만 팡팡은 울기 시작했습니다.

여기에 늙은 화가도 손에 빵을 들고 도착했습니다. 2층에서는 정말 시끄러운 소리가 들렸습니다.

소음이 너무 커서 팡팡은 혹시 부모님이 들으셨는지 궁금했습니다. 그렇습니다, 팡팡은 열쇠를 잃어버려서 집에 들어갈 수 없었지만, 아저씨 아줌마들과 할아버지들은 팡팡의 마음의 문을 열어주었습니다.

Amo en Nova Senco

Gaŭ Fuŝun

Ŝi plendis al mi: "Jen, denove ŝveliĝas mia gingivo." Varmigante lakton, mi respondis ŝerce: "Certe vi ŝtele manĝis ion." Sed tio nur estis ŝerco, kaj mi klare sciis, ke la ŝveliĝon kaŭzis ŝia maltrankvilo. Postmorgaŭ ja finiĝos ŝia ripozperiodo post akuŝo, sed ni ankoraŭ ne trovis infanvartistinon. Ĉu ni povus iri labori lasinte la bebon ne zorgata hejme?!

Iu frapis je la pordo. La veninto estis nia najbaro Onklino Ŭang, transloĝiĝinta en la pasinta semajno. Ŝi kaj ŝia edzo estis emeritoj kaj pasigis sian tempon en florkulturado kaj ĵurnalolegado. "Instruisto Cen, mi aŭdis, ke via edzino baldaŭ iros labori, do konfidu vian bebon al mi." Ŝiaj haroj jam griziĝis, sed ŝia voĉo estis ankoraŭ sonora. Mi miris: Al ili ŝajne ne mankas mono, kaj cetere, ili jam estas grandaĝaj kaj konvenas al ili nur trankvila vivo. Mi nature konsideris pri la bezonota pago. En la nuna situacio, mi devus pagi al infanvartistino per plejparto de mia salajro. Rimarkinte mian heziton, ŝi diris aldone: "Ne konsideru tro multe. Vi interkonsiliĝu kun via edzino kaj poste sciigu min." Ŝi foriris.

Tagmeze de la sekvanta tago, mi turnis min al ŝi, kunportante lakton, fruktosukon, necesejan paperon kaj sapon, kiujn la bebo bezonas, kaj cetere 50 juan-ojn por la servado. Sed la maljunulino akceptis nur triononde la sumo. Mi neniel povis konsenti kun ŝi en tio, kaj provis persvadi ŝin, sed vane.

Ni iris labori kun sincera dankemo kaj ankaŭ maltrankvilo. Mi decidis regule aĉeti por ŝi iom da fruktoj kaj kukoj por liberigi min de ŝuldanteco.

Iun tagon mi vidis, ke ŝi rakontas ion al mia bebo tenante bildlibron en la mano. Mi miris, kaj ŝi klarigis al mi, ke ŝi instruas al la bebo koni kolorojn. Iom poste ŝi ekbredis kateton, kaj tion ŝi motivis: "La bebo jam scipovas rampi, kaj la kateto povas akompani ĝin."

La progresiga kurso por instruistoj estis baldaŭ komencota per televizio, kaj mi decidiĝis lerni la kurson, sed. . . Post longa hezito mi decidis turni min al ŝi por peti helpon: "Onklino. . . ĉu mi povus lerni la televizian kurson en via hejmo? Ĉar mi ne havas televidilon." La onklino senhezite konsentis, kaj mi vidis en ŝiaj okuloj plenan afablecon kaj amemon.

Pli kaj pli malvarmiĝis, kaj mi vidis, ke la onklino ofte sulkigis la brovojn pro la sufero de kapdoloro. Mi tuj aĉetis lanfadenojn kaj petis mian edzinon triki ĉapon por ŝi.

Iun tagon, mi revenis hejmen kaj vidis sur la ŝranko novan televidilon. Kun miro mi demandis, de kie venis la aparato. Mia edzino respondis: "Onklino Ŭang ĝin alportis. Mi penis fordanki, sed tio kolerigis ŝin." "Sed kiel ni pagus?" "Ŝi ne urĝas la pagon. Ho jes, ŝi petis min transdiri al vi, ke antaŭe ankaŭ ŝi estis edukisto."

Poste mi sciiĝis, ke ŝi estis lernejestro, tre fama en nia urbo. La kordo en mia koro estis tuŝita. Mi eksentis amon en tute nova senco, amon pli profundan ol tiu inter ordinaraj najbaroj.

새로운 의미의 사랑

가우 푸슌

아내는 나에게 불평했습니다.

"보세요, 내 잇몸이 다시 부어 오르고 있어요."

나는 우유를 데우면서 농담조로 대답했습니다.

"뭔가 나 몰래 무언가 먹은 게 틀림없어요."

그러나 그것은 단지 농담일 뿐이었고, 그 붓기가 아내의 불안 때문이라는 것을 나는 분명히 알고 있었습니다. 모레면 출산 휴가가 끝나는 날인데 아직까지 아기 돌보미를 구하지 못했습니다. 돌보지 않고 집에 아기를 두고 출근할 수 있을까요?!

누군가 문을 두드렸습니다. 방문객은 지난주에 이사 온 우리 이웃 **왕** 아주머니였습니다. 부부는 다 은퇴하여 정원을 가꾸고 신문을 읽는 데 시간을 보냈습니다.

"**센** 선생님, 사모님이 곧 출근한다고 들었으니 아기를 나한테 맡겨주세요."

머리는 이미 희었지만 목소리는 여전히 낭랑했습니다. 나는 놀랐습니다. 그들은 돈이 부족한 것 같지 않고 게다가 이미 늙어서 조용한 삶만이 그들에게 적합합니다. 나는 자연스럽게 필요한 비용을 고려했습니다. 지금 상황이라면 월급 대부분을 아기 돌보미에게 지불해야 할 것입니다. 내가 주저하는 것을 알아차린 아주머니는 이렇게 덧붙였습니다.

"너무 심각하게 생각하지 마세요. 아내와 상의한 뒤 알려주세요."

아주머니가 떠났습니다.

다음날 정오에 나는 아기에게 필요한 우유, 과일 주스, 화장지, 비누와 서비스 비용 50위안을 가지고 아주머니에게로 향했습니다. 그러나 아주머니는 그 금액의 3분의 1만 받았습니다. 나는 이 점에 있어서 아주머니의 의견에 동의할 수 없어 설득하려고 노력했지만 헛수고였습니다.

우리는 진심으로 감사하면서도 불안한 마음으로 출근했습니다. 나는 아주머니에 대한 부담에서 벗어나기 위해 정기적으로 과일과 과자를 사 주기로 결정했습니다.

어느 날 나는 아주머니께서 그림책을 손에 들고 우리 아기에게 무엇인가 말하는 것을 보았습니다. 나는 놀랐고, 아주머니는 아기에게 색깔을 알도록 가르치는 것이라고 설명했습니다. 조금 후에 아주머니는 새끼 고양이를 키우기 시작했고 "아기는 이미 기어가는 방법을 알고 있고 새끼 고양이는 함께 따라갈 수 있어요." 하며 이유를 말했습니다.

교사를 위한 고급 과정이 곧 텔레비전에서 시작될 예정이었고 나는 그 과정을 수강하기로 결정했습니다만…. 오랜 망설임 끝에 나는 아주머니께 도움을 요청하기로 결정했습니다.

"아주머니…. 아주머니 댁에서 텔레비전 강좌를 제가 배울 수 있을까요? TV가 없어서요."

아주머니는 주저하지 않고 동의했고 나는 아주머니 눈에서 온전한 친절과 애정을 보았습니다.

날은 점점 추워졌고, 아주머니는 두통으로 인해 종종 눈살을 찌푸리는 모습을 보았습니다. 나는 즉시 실을 사서 아내에게 아주머니를 위한 모자를 짜달라고 부탁했습니다.

어느 날 집에 왔는데 선반 위에 새 텔레비전이 놓여 있는 것을 보았습니다. 나는 놀라서 그 기계가 어디서 왔는지 물었습니다. 아내는 이렇게 대답했습니다.

"왕 아주머니가 가져오셨어요. 고맙다고 말하려고 했는데 그 말에 화를 내셨어요."

"그러면 어떻게 지불할까요?"

"달라고 재촉하지 않으셨어요. 아, 그래요, 아주머니도 전에 교육자였다고 말해달라고 하더군요."

나중에 나는 아주머니가 우리 마을에서 매우 유명한 학교 교장이라는 것을 알게 되었습니다. 진정으로 감동했습니다. 완전히 새로운 의미의 사랑, 평범한 이웃 간의 사랑보다 더 깊은 사랑을 느꼈습니다.

한글 옮긴이의 말

에스페란토사용자들의 진솔한 일상과 느낌을 공유하는 행복한 시간이었습니다. 짧은 문장이지만 기쁨을 나누면 배가되고 아픔을 나누면 반으로 줄어드는 사람 사는 세상 이야기가 재미있어 에스페란토학습과 아울러 삶의 지혜를 배울 수 있었습니다. 우승자에게만 향하는 꽃다발을 패배자에게 주는 「당신에게 꽃다발을」을 읽으면서 마음이 따뜻해짐을 느꼈습니다.

힘들게 연습하고 최선을 다한 후 받은 결과에 연연하지 않고 살아가기를 바라는 마음이 아름다웠습니다.

에스페란토 책 출간도 상업성은 없지만 천국의 언어라는 내적인 사상에 공감하면서 이상사회를 향한 꿈을 포기할 수 없어 묵묵히 걸어가야할 길임을 마음에 새깁니다.

이런 길을 가는 모든 희망하는 자에게 저는 꽃다발을 드리고 싶습니다. 많은 저자들에게 일일이 연락하여 원고의 번역에 대한 허락을 받고 싶었지만 하지못해 심심한 사과의 말씀을 드리며 추후에라도 에스페란토 학습과 홍보에 도움이 되도록 제 번역은 자유롭게 쓰시기를 바랍니다. 치나 에스페란토 출판사에도 양해를 부탁하며 언제든지 협조할 예정이니 좋은 책이 있으면 공조할 수 있는 기회를 주시길 바랍니다.

미숙한 부분은 후배의 질정을 바라며 많은 사람이 읽고 즐거운 학습을 하고 더 살기좋은 세상을 만드는데 동참해 주시기를 기대합니다. ------------ 한글 옮긴이 오 태영(Mateno)

『진달래 출판사 간행목록』

율리안 모데스트의 에스페란토 원작 소설
- 에한대역본
『바다별』(단편 소설집, 오태영 옮김)
『사랑과 증오』(추리 소설, 오태영 옮김)
『꿈의 사냥꾼』(단편 소설집, 오태영 옮김)
『내 목소리를 잊지 마세요』(애정 소설, 오태영 옮김)
『살인경고』(추리소설, 오태영 옮김)
『상어와 함께 춤을』(단편 소설집, 오태영 옮김)
『수수께끼의 보물』(청소년 모험소설, 오태영 옮김)
『고요한 아침』(추리소설, 오태영 옮김)
『공원에서의 살인』(추리소설, 오태영 옮김)
『철(鐵) 새』(단편 소설집, 오태영 옮김)
『인생의 오솔길을 지나』(장편소설, 오태영 옮김)
『5월 비』(장편소설, 오태영 옮김)
『브라운 박사는 우리 안에 산다』(희곡집, 오태영 옮김)
『신비로운 빛』(단편 소설집, 오태영 옮김)
『살인자를 찾지 마라』(추리소설, 오태영 옮김)
『황금의 포세이돈』(장편 소설집, 오태영 옮김)
『세기의 발명』(희곡집, 오태영 옮김)
『꿈속에서 헤매기』(단편 소설집, 오태영 옮김)
『욤보르와 미키의 모험』(동화책, 장정렬 옮김)

- 한글본
『상어와 함께 춤을 추는 철새』(단편소설집, 오태영 옮김)
『바다별에서 꿈의 사냥꾼을 만나다』(단편집, 오태영 옮김)
『바다별』(단편소설집, 오태영 옮김)
『꿈의 사냥꾼』(단편소설집, 오태영 옮김)

클로드 피롱의 에스페란토 원작 소설
- 에한대역본
『게르다가 사라졌다』(추리소설, 오태영 옮김)
『백작 부인의 납치』(추리소설, 오태영 옮김)

장정렬 번역가의 에스페란토 번역서
- 에한대역본
『파드마, 갠지스 강가의 어린 무용수』(Tibor Sekelj 지음)
『테무친 대초원의 아들』(Tibor Sekelj 지음)
『대통령의 방문』(예지 자비에이스키 지음)
『국제어 에스페란토』(D-ro Esperanto 지음, 이영구. 장정렬 공역, 진달래 출판사, 2021년)
『황금 화살』(ELEK BENEDEK 지음)
『알기쉽도록 〈육조단경〉 에스페란토-한글풀이로 읽다』(혜능 지음, 왕숭방 에스페란토 옮김, 장정렬 에스페란토에서 옮김)
『침실에서 들려주는 이야기』(Antoaneta Klobuĉar 지음, Davor Klobuĉar 에스페란토 역)
『공포의 삼 남매』(Antoaneta Klobuĉar 지음, Davor Klobuĉar 에스페란토 역)
『우리 할머니의 동화』(Hasan Jakub Hasan 지음)
『얀부르그에는 총성이 울리지 않는다』(Mikaelo Brostejn)
『청년운동의 전설』(Mikaelo Brostejn 지음)
『푸른 가슴에 희망을』(Julio Baghy 지음)
『반려 고양이 플로로』(크리스티나 코즈로브스카 지음, 페트로 팔리보다 에스페란토 옮김)
『민영화도시 고블린스크』(Mikaelo Brostejn 지음)
『마술사』(크리스티나 코즈로브스카 지음, 페트로 팔리보다 에스페란토 옮김)

『세계인과 함께 읽는 님의 침묵』(한용운 지음)
『세계인과 함께 읽는 윤동주시집』(윤동주 지음)

- 한글본
『크로아티아 전쟁체험기』(Spomenka Ŝtimec 지음)
『희생자』(Julio Baghy 지음)
『피어린 땅에서』(Julio Baghy 지음)
『사랑과 죽음의 마지막 다리에 선 유럽 배우 틸라』
(Spomenka Ŝtimec 지음)
『상징주의 화가 호들러의 삶을 뒤쫓아』(Spomenka Ŝtimec)
『무엇때문에』(Friedrich Wilhelm ELLERSIE 지음)
『밤은 천천히 흐른다』(이스트반 네메레 지음)
『살모사들의 둥지』(이스트반 네메레 지음)
『메타 스텔라에서 테라를 찾아 항해하다』(이스트반 네메레)
『파드마, 갠지스 강의 무용수』(Tibor Sekelj 지음)
『대초원의 황제 테무친』(Tibor Sekelj 지음)

이낙기 번역가의 에스페란토 번역서
- 에한대역본
『오가이 단편선집』(모리 오가이 지음, 데루오 미카미 외 3인 에스페란토 옮김)
『체르노빌1, 2』(유리 셰르바크 지음)

기타 에스페란토 관련 책
- 에한대역본
『에스페란토 직독직해 어린 왕자』(생 텍쥐페리 지음, 피에르 들레르 에스페란토 옮김, 오태영 옮김)
『에스페란토와 함께 읽는 이방인』(알베르 카뮈 지음, 미셸 뒤고니나즈 에스페란토 옮김, 오태영 옮김)

『자멘호프 연설문집』(자멘호프 지음, 이현희 옮김)
『에스페란토와 함께 읽는 논어』(공자 지음, 왕숭방 에스페란토 옮김, 오태영 에스페란토에서 옮김)
『우리 주 예수의 삶』(찰스 디킨스 지음, 몬태규 버틀러 에스페란토 옮김, 오태영 에스페란토에서 옮김)
『진실의 힘』(아디 지음, 오태영 옮김)

- 한글본
『안서 김억과 함께하는 에스페란토 수업』(오태영 지음)
『인생2막 가치와 보람을 찾아』(수필집, 오태영 지음)
『에스페란토의 아버지 자멘호프』(이토 사부로, 장인자 옮김)
『사는 것은 위험하다』(이스트반 네메레 지음, 박미홍 옮김)
『자멘호프의 삶』(에드몽 쁘리바 지음, 정종휴 옮김)
『자멘호프 에스페란토의 창안자』(마조리 볼튼, 정원조 옮김)

- 에스페란토본
『Pro kio』(Friedrich Wilhelm ELLERSIE 지음)
『Enteru sopirantan kanton al la koro』(오태영 지음)
『Kumeŭaŭa, la filo de la ĝangalo』(Tibor Sekelj 지음)

- 박기완 박사가 번역하고 해설한 에스페란토의 고전
『처음 에스페란토』(루도비코 라자로 자멘호프 지음)
『에스페란토 규범』(루도비코 라자로 자멘호프 지음)
『에스페란토 문답집』(루도비코 라자로 자멘호프 지음)